W9-BMY-382
WITHDRAWN BY
ORANGE COUNTY LIBRARY SYSTEM
Ulysses Moore
Villa Argo
Kilmore Cove Cornwall

Traducción de

María Lozano

Montena

El papel utilizado para la impresión de este libro ha sido fabricado a partir de madera procedente de bosques y plantaciones gestionadas con los más altos estándares ambientales, garantizando una explotación de los recursos sostenible con el medio ambiente y beneficiosa para las personas.

Por este motivo, Greenpeace acredita que este libro cumple los requisitos ambientales y sociales necesarios para ser considerado un libro «amigo de los bosques». El proyecto «Libros amigos de los bosques» promueve la conservación y el uso sostenible de los bosques, en especial de los Bosques Primarios, los últimos bosques vírgenes del planeta.

Título original: *I Guardiani di Pietra*
Publicado por acuerdo con Edizioni Piemme Spa, 2006
Adaptación del diseño de la cubierta: Departamento de diseño de Random House Mondadori / Judith Sendra

Primera edición: octubre de 2008

www.ulyssesmoore.it
www.battelloavapore.it

Printed in Spain – Impreso en España

ISBN: 978-84-8441-474-2
Depósito legal: B-38.760-2008

Compuesto en Fotocomposición 2000, S. A.
Impreso en Limpergraf
Mogoda, 29. Barberà del Vallès (Barcelona)

Encuadernado en Imbedding

GT 14742

Nota al lector

Después de enviarnos la traducción del quinto manuscrito de Ulysses Moore, nuestro colaborador, Pierdomenico Baccalario, ha desaparecido sin dejar rastro. Su último mensaje de correo electrónico venía de Cornualles y era muy extraño. Es esta:

> Os envío el último diario que he logrado descifrar. Me queda ya solo un cuaderno. Y creo que tengo importantes novedades. He conocido a una persona que me está ayudando a llegar hasta Kilmore Cove. No puedo deciros su nombre, porque le he prometido que no lo haría. Le he enseñado el baúl y los dos juntos hemos conseguido averiguar que uno de los diseños enrollados es en realidad un mapa de senderos de Cornualles. Un sendero en particular podría ser la única ruta practicable que permita llegar a Kilmore Cove.
>
> Intentaré ir mañana.
>
> ¿No sería fantástico? ¡Creo que me falta poco para lograr descubrir el secreto de Ulysses Moore! ¡No os preocupéis!
>
> Os mandaré noticias mías muy pronto.
>
> *Pierdomenico*

Pero desde este mensaje ha pasado ya más de un mes y estamos un poco preocupadas...

Pierdomenico no responde al teléfono ni a los mensajes de correo electrónico.

Hemos llamado al *bed & breakfast* donde se aloja, pero tampoco ellos saben nada de él.

No ha devuelto el coche de alquiler. Se ha evaporado, literalmente.

Se ruega a quienquiera que tenga noticias suyas que se ponga en contacto con nosotras lo antes posible. ¡Gracias por vuestra ayuda!

La redacción de Montena

P. D.: Por si no lo habéis visto nunca, aquí tenéis una foto suya:

- ULYSSES MOORE -
LOS GUARDIANES DE PIEDRA
Quinto cuaderno
COWPER & ABEL.
STATIONERS
20 SOUTHHAMPTON BUILDINGS
CHANCERY LANE LONDON

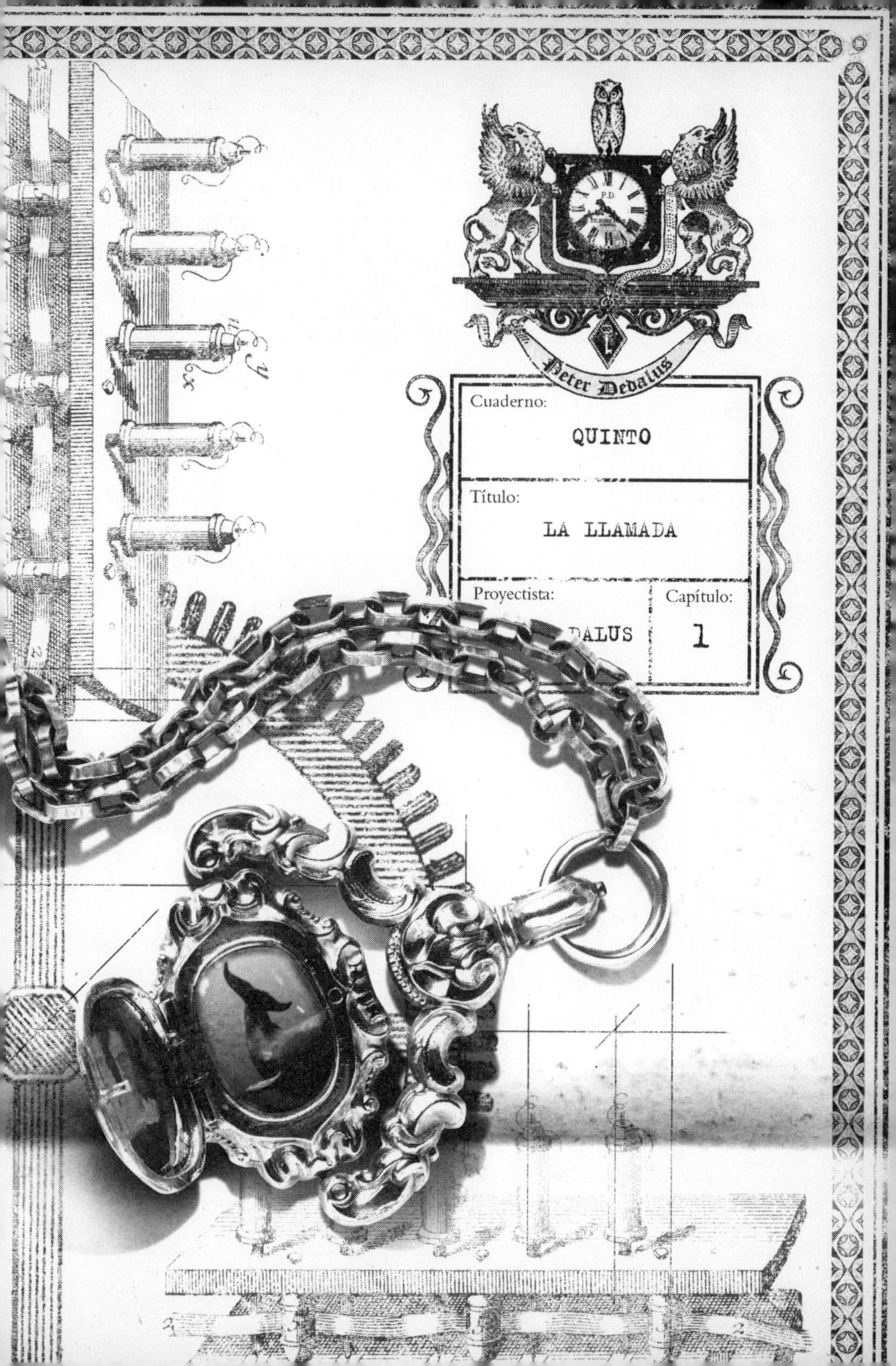

Peter Dedalus
Cuaderno:
QUINTO
Título:
LA LLAMADA
Proyectista:
DALUS
Capítulo:
1

Hacía muchos años que no se veían ballenas en las aguas de Kilmore Cove. Sin embargo, el nombre de la bahía más grande del pueblo había permanecido inalterado en recuerdo de los viejos tiempos: Whales Call, la llamada de las ballenas. Se abría justo al este del pequeño puerto y era una larga playa arenosa que iba a morir entre las rocas del acantilado de Salton Cliff, desnudas y afiladas. Allí, en la cima del promontorio más alto, crecía el jardín de Villa Argo, en el que se erguía la torre de la vieja casa con sus grandes ventanales apagados. Abajo el mar rugía amenazador, escupiendo espuma blanca.

Era por la tarde y, como todas las tardes de los días impares del mes, Gwendaline Mainoff, la peluquera del pueblo, corría por la arena de la playa para mantenerse en forma. Corría sumida en sus pensamientos y en la música sinfónica que salía de sus viejos auriculares. El sol se había puesto hacía más de media hora, pero el cielo mantenía una luminosidad misteriosa, como para dejar que alguien pudiera echar un vistazo a los últimos acontecimientos del día. El día era claro y límpido, sin nubes.

Al principio, Gwendaline no notó la extraña figura que yacía en la arena. Se limitó a pasar corriendo a su lado, concentrada en la música.

Fue después de recorrer toda la playa hasta las primeras rocas que se encaramaban hacia lo alto, tras tocar el escollo meta y darse la vuelta para regresar a Kilmore Cove, cuando Gwendaline se detuvo, frunció ligeramente el ceño y se quitó los cascos de los oídos.

–¿Y esto qué es? –exclamó–. ¿Una ballena varada?

La joven dio unos pasos en la arena húmeda por el mar. Buscó el botón del walkman y quitó el volumen de la música.

Pero, para su sorpresa, en vez de tranquilizarse, empezó a ponerse aún más nerviosa.

Tendido boca arriba en la arena había un hombre con las piernas y los brazos extendidos como si hubiera disputado una extenuante carrera de natación, y con un raído mono vaquero pegado al cuerpo. Parecía un cadáver traído por las olas.

Escrutó el mar en busca de algún consuelo, pero solo consiguió vislumbrar la recta línea oscura del horizonte, que empezaba a confundirse rápidamente con la noche. Kilmore Cove esperaba en silencio. Las personas que se habían reunido en torno a la única posada que quedaba abierta en el pueblo habían vuelto ya a sus casas, y entre los tejados oscuros del pueblo se habían encendido las primeras luces. Dentro de poco se encenderían también las pocas farolas de la carretera de la costa.

Gwendaline esperó unos minutos antes de decidir acercarse a aquel amasijo de ropas. Sus huellas dibujaron en la arena un largo paréntesis, como para tomarse el tiempo necesario.

Después pasaron dos cosas: la primera fue que, al otro lado de la bahía, el faro de Leonard Minaxo se encendió con un ruido sordo, como el de una vieja cámara de fotos, difundiendo a su alrededor un halo blancuzco de luz recalentada.

La segunda sucedió un instante después: el hombre tendido en la arena tosió.

–Así que no está muerto... –murmuró la peluquera, ajustándose mecánicamente los auriculares en torno al cuello.

Lanzó una mirada al promontorio iluminado del faro y recorrió los últimos metros que la separaban de él. El hombre volvió a toser e hizo un movimiento extraño, como si, creyéndose aún en el mar, quisiera dar la enésima brazada.

–¿Se encuentra usted bien? –preguntó Gwendaline cuando estaba a menos de un paso de él. Estaba empapado y cubierto de algas, su piel tenía el mismo color que los huevos podridos y sus pies pataleaban en el vacío, mecánicamente, mientras seguían nadando en la nada–. Disculpe, señor –insistió Gwendaline, arrollidándose junto a él–, ¿se encuentra bien?

El hombre se quedó inmóvil. Y cuando, tras el enésimo acceso de tos, se volvió para mirarla, Gwendaline se dio cuenta de que ya lo había visto antes. Tenía los ojos cerrados y una larga cicatriz que partía del cuello e iba a esconderse bajo sus ropas.

–¿Necesita ayuda? –insistió ella, poniéndole una mano en el hombro.

El hombre asintió débilmente, abrió la boca y emitió un ahogado lamento.

–Creo... que sí.

–¿Puede andar? Vamos, le ayudo a levantarse... –Y mientras decía esto intentó alzarlo cogiéndolo por las ropas mojadas.

Él se dejó llevar, siguiendo dócilmente sus consejos hasta que, sin saber cómo, se encontró de pie, abrazado a ella.

–Venga, por aquí... –dijo entonces Gwendaline, tambaleándose mientras caminaba hacia el pueblo.

–Sí... –murmuró Manfred, intentando desesperadamente mantenerse en equilibrio.

Cuando abrió los ojos, reconoció confusamente las luces. Después se volvió para intentar identificar a la persona que lo ayudaba.

En cuanto la vio, los cerró de golpe.

«Es una sirena... –pensó–. Me ha salvado una sirena.»

Peter Dedalus
Cuaderno:
QUINTO
Título:
UN AUTÉNTICO LÍO
2

Jason esperó a que el automóvil de su padre desapareciera tras la esquina; luego se dio la vuelta de golpe hacia su hermana gemela y dijo:

–Yo me voy. Cúbreme.

–¡Ni lo sueñes! –protestó Julia–. ¡Es una estupidez!

El chico miró nerviosamente a su alrededor y dijo:

–No tardo nada. ¡Un cuarto de hora como mucho!

–Jason... –suspiró su hermana–. No tardarás solo un cuarto de hora. El faro está fuera del pueblo, muy lejos. Y tú vas a pie.

–Pero solo para ir. Una vez allí, recupero la bici y vuelvo –puntualizó él–. Tengo que recuperar la bici. Ahora.

–¡Puedes ir después de clase!

Jason negó con la cabeza y dos minúsculas plumas blancas, que habían sobrevivido misteriosamente a numerosos lavados, le cayeron del pelo. Halos negros de alquitrán y un sinfín de arañazos en la tripa eran las secuelas de las aventuras de los últimos días.

Julia intentó hacerlo razonar una vez más. Le indicó la puerta abierta de la escuela y los peldaños que, como una hilera de ordenados dientes, conducían a su interior. Después le hizo notar la campana de bronce que en pocos minutos anunciaría el comienzo de las clases.

–¿Qué le digo a miss Stella?

–¡Invéntate algo! –protestó Jason–. ¡Después de todo lo que ha pasado estos días, no me dirás que tienes miedo de la maestra! Yo solo quiero...

–¿Qué quieres? –lo apremió Julia, intentando ponerlo en dificultad. Intuía a la perfección cuándo a su hermano se le ocurría una de sus descabelladas ideas. Y se notaba a la legua que Jason no quería ir al faro de Leonard Minaxo solo para recuperar la bicicleta. Entre otras cosas, Jason odiaba esa bicicleta: se la habían prestado los señores Bowen, era rosa, tenía el manillar con forma de mariposa y se veía claramente que era de chica.

Pero por mucho que Julia se esforzara en imaginar lo que le rondaba a su hermano por la cabeza, no conseguía adivinarlo.

Jason la miraba con ojos suplicantes.

–Julia... tienes que ayudarme.

–Dime solo por qué. Y por qué no lo puedes hacer después de clase.

El chico suspiró. Luego, contando con los dedos de la mano, explicó:

–Primero, porque papá viene a buscarnos; segundo, porque nos llevará a casa; tercero, porque mamá y él nos acribillarán a preguntas, y cuarto, porque nos vigilarán. ¿Me dices cómo conseguiremos movernos con todo lo que tenemos que hacer?

Julia se mordió los labios. Su reciente nombramiento como caballeros de Kilmore Cove había traído consigo un buen número de responsabilidades. Y dijo:

–Con papá y mamá dando vueltas por casa, podría ser un problema...

–Y no te olvides del encargado de la mudanza que se han traído de Londres...

–Durante unos días tendremos que mantenernos apartados de la Puerta del Tiempo.

Jason levantó el dedo de repente.

–¡Ah, no! ¡Eso no! No podemos. ¡No ahora que sabemos lo de la Primera Llave!

–Pero si nos acercamos a la Puerta, ¡mamá se dará cuenta!

–Tenemos que correr el riesgo. Y ponernos en marcha ya, Julia.

–¿Y cómo?

–Yo voy a ver a Leonard Minaxo. –Jason sacó del bolsillo del pantalón una vieja fotografía medio chamuscada y señaló la cara del farero–. Y le pregunto si él es realmente Ulysses Moore.

Julia lanzó una mirada de preocupación a la escuela y a la campana de bronce.

–¿Y tú crees de verdad que Leonard te lo dirá? ¿Que te dirá: «Sí, yo soy Ulysses Moore»?

Jason volvió a pensar en el día anterior y en cuando Leonard había aferrado el timón de la *Metis* y había surcado el mar del Tiempo guiando la nave entre la tormenta como un verdadero capitán.

–Un capitán no miente nunca a su tripulación –respondió–. Quizá no diga toda la verdad, pero no miente nunca.

Los dos gemelos intercambiaron una última mirada, antes de que Julia capitulara del todo.

–Un cuarto de hora, ¿vale?

Su hermano asintió y se dio la vuelta de golpe, echando a correr por el camino que llevaba al mar.

Julia esperó a verlo desaparecer y luego se preparó para enfrentarse a miss Stella.

Acababa de llegar a los escalones cuando sonó la campana de bronce.

Jason fue corriendo, con la mochila a la espalda, hasta llegar a la calle principal.

Se arrimó a la pared de ladrillos y echó una ojeada con el rabillo del ojo al paseo marítimo. Había una hilera de puestos de pescado justo bajo la sombra trémula del Windy Inn, la única posada del pueblo. Jason miró a su alrededor en busca del coche de su padre y, al no verlo, se tranquilizó.

Estaba a punto de tomar el camino costero en dirección al promontorio del faro cuando se paró en seco. Su nariz había captado un aroma absolutamente irresistible que flotaba en el aire como una tentación.

Jason olió y volvió a oler: bollos rellenos de crema y *scones* de manzana recién salidos del horno.

No era difícil adivinar de qué escaparate provenía ese delicioso aroma: el de la pastelería Chubber.

–¿Por qué no? –se dijo Jason, reconsiderando por un momento la urgencia de su misión.

Se metió esperanzado las manos en los bolsillos y, después de unos instantes de afanosa búsqueda, sacó una moneda de una esterlina, redonda y compacta.

–¡Sí! –exclamó alegre.

Cruzó la calle corriendo, se aseguró de que no hubiera nadie conocido en los alrededores y, tragándose el miedo a que lo descubrieran, empujó la puerta de la pastelería.

Dentro el aire estaba cargado de aromas. Huevos batidos, crema, cacao, vainilla, azúcar glas y pasas eran solo los más penetrantes de los muchos que salían de las vitrinas de la tienda.

Jason recorrió como en trance el suelo de tarima negra que lo separaba de los dulces, colocó la moneda de una esterlina en el mostrador de mármol y, sin levantar la vista del lazo del delantal azul de la persona que se encontraba al otro lado, pidió dos gigantescos bollos rellenos de crema.

–Uno para mí y otro para mi hermana –mintió, como para justificarse. No tenía ninguna intención de dejar que el bollo llegara vivo a clase.

–Están todavía un poco calentitos, ¿te importa? –le preguntó la pastelera.

–No, no. Mejor aún.

Jason apretó entre los dedos la bolsa de papel, se dio la vuelta y se dispuso a salir.

De repente se quedó sin respiración. Su padre y otro hombre que le parecía haber visto ya antes estaban allí fuera, a punto de entrar.

Retrocedió rápidamente y, sin que la señora que estaba detrás del mostrador lo viera, pasó volando por delante de las mesas y se zambulló detrás de una cortina de cuadros escoceses.

La puerta de la pastelería se abrió justo después y la voz del señor Covenant resonó en la tienda.

Inmóvil detrás de la cortina escocesa, Jason oyó a su padre pedir dos canutos y dos cafés con leche.

–Ha sido muy amable de su parte venir a Kilmore Cove antes que el camión... –oyó que le decía al hombre con el que había entrado–. Y siento mucho lo que sucedió ayer por la tarde, señor Homer...

Jason recordó. Era el famoso encargado de la mudanza, que había venido para supervisar las últimas fases del traslado de los muebles de Londres a Kilmore Cove. Lo había visto la tarde anterior, en la densa oscuridad del jardín de Villa Argo, mientras su madre les echaba a su hermana y a él una buena regañina.

–Arquitecto Homer, si no le importa –puntualizó entonces el hombre.

«El famoso "arquitecto"», se corrigió Jason espiando disimuladamente desde detrás de la cortina.

Los vio sentarse a una mesa y ponerse a ojear unos folios con un montón de diseños y cosas escritas.

Mientras el arquitecto intentaba explicar algo sobre volúmenes y cubicaciones, Jason se zampó en silencio la mitad de su bollo de crema, sin quitarles los ojos de encima.

«Imposible salir de aquí sin que me vean», concluyó.

Observó el pasillo situado detrás de él. Estaba a oscuras y lleno de polvo. Tenía el mismo suelo de tarima oscura de la pastelería y sobre sus paredes blancas años de efluvios de chocolate y vainilla habían depositado una especie de pátina crujiente y fragante.

Había dos puertas que daban al pasillo. La primera conducía a un pequeño lavabo color miel, con un ventanuco que asomaba a un patio interior.

La segunda estaba cerrada.

Jason intentó abrirla, pero no tenía picaporte.

Se agachó en la penumbra para observarla mejor, mientras un gélido escalofrío le recorría la espalda.

–Vaya... –murmuró con incredulidad, dejando el bollo en la bolsa.

La puerta era idéntica a la que estaba oculta tras el armario de Villa Argo. Idéntica a la puerta del sótano de miss Biggles, por debajo de la cual se filtraba de vez en cuando un poco de arena del desierto egipcio. Idéntica también a la puerta de la Casa de los Espejos, que unía Kilmore Cove con una Venecia lejana.

Era una Puerta del Tiempo.

Jason se estremeció.

Había oído deslizarse una silla en la pastelería. Y la voz de su padre, que le decía al arquitecto:

–Vuelvo enseguida.

Aprovechó los pocos segundos de que disponía para llegar a la puerta del baño.

Echó el pestillo justo en el momento en que su padre llamaba a la puerta.

–¿Está ocupado?

Jason miró a su alrededor desesperado y, para que no lo reconociera, tosió y abrió el grifo del lavabo.

–Ah, perdone... –dijo el señor Covenant desde el otro lado. Intentó abrir la otra puerta y luego se puso a silbar, a la espera de que el baño quedara libre.

Jason empezó a sudar. Tragó saliva. Y tragó de nuevo saliva mientras intentaba decidir qué hacer. Se esforzó por mantener la calma, analizando y descartando las diversas posibilidades. Salir del baño, excluido. Quedaban dos: quedarse encerrado allí para siempre o intentar salir por el ventanuco.

Optó por la segunda.

Se subió al lavabo para poder llegar a la ventana. Mientras el agua seguía corriendo para cubrir posibles ruidos, Jason abrió el cristal hacia el interior y evaluó las dimensiones del hueco. Era un rectángulo por el que a duras penas cabía la cabeza y la mochila. Con toda seguridad una persona más grande no habría podido salir huyendo por ahí.

Pero Jason decidió que él sí podía.

Intentando mantener la sangre fría, se desató uno de los cordones de los zapatos. Ató un cabo al picaporte de la ventana y lanzó el otro fuera. De esta manera, una vez en el exterior, podría cerrarla tras de sí.

Después tiró la mochila por el ventanuco y la oyó rodar por el patio.

Por último, se aupó agarrándose al marco de la ventana. Metió las manos y la cabeza por la abertura y se dio impulso con los talones para saltar.

Se quedó completamente encajado, con la cabeza aplastada contra el hombro derecho, el izquierdo inmovilizado, un brazo fuera y las piernas colgando en el vacío.

Jason intentó respirar y no perder la calma, repitiéndose que todo se solucionaría. Absurdo. Se imaginó a su padre que entraba en el baño y lo sacaba de allí tirándole de un pie y, a pesar del miedo que le daba que eso pudiera pasar de verdad, no pudo evitar estallar en una carcajada nerviosa.

Descubrió que expulsando todo el aire de los pulmones, conseguía mover el hombro y el brazo izquierdo. Buscó con la mano un apoyo fuera de la ventana, pero no lo encontró. Entonces empezó a tantear la pared con los pies.

Estaba al borde de la desesperación, cuando notó un saliente cerca del pie derecho.

Podía ser su única posibilidad de salvación: se apoyó en él, respiró a fondo, sopló para sacar todo el aire de los pulmones y, cuando sintió que se había transformado en una especie de anchoa, se dio un fuerte impulso.

El señor Covenant salió de detrás de la cortina de cuadros escoceses.

–¿Tienen ustedes una llave de repuesto del baño? –le preguntó a la señora del mostrador–. Creía que había alguien dentro, pero debe de ser solo que la puerta está mal cerrada.

–Claro. –La señora abrió un cajón, sacó una llave de bronce y se la tendió en una servilleta–. Úsela solo para abrir la primera puerta. La otra no hemos conseguido abrirla nunca.

El señor Covenant volvió al pasillo e introdujo la llave en la primera puerta. Oyó que la que estaba en el otro lado de la cerradura caía al suelo.

–¿Se puede? –preguntó por última vez.

Después entró.

Como había imaginado, no había nadie.

Cerró el grifo del lavabo y miró a su alrededor un tanto perplejo. El portarrollos de papel higiénico estaba medio arrancado de los azulejos y había una bolsa de papel tirada en el suelo, con un bollo y medio de crema dentro.

«¡Qué fastidio!», pensó Jason desde el otro lado del muro, buscando la misma bolsa.

Se encontraba en un patio cuadrado empedrado de guijarros, con dos grandes hileras de piedra oscura que formaban en el medio una enorme X. A él se asomaban una escalera de servicio situada justo a la izquierda del ventanuco por el que había salido y las puertas de un par de sótanos. Una escuálida planta trepadora crecía junto a un rincón y entre los guijarros brotaban algunas briznas de hierba descoloridas por el sol.

Jason caminaba con paso sigiloso, pegado a la pared, intentando averiguar dónde había ido a parar su mochila.

–¿Buscas esto quizá? –le preguntó una voz desde la escalera de servicio.

El chico vio su mochila en manos de una persona, pero como la escalera era muy empinada y estaba situada bajo un arco en penumbra le resultó imposible distinguir sus rasgos.

–Ah, sí, gracias… –respondió, vagamente preocupado–. ¿Me la puede dar?

–Es una mochila para ir al colegio, ¿verdad? –añadió la voz.

Esta vez Jason tuvo la impresión de haber oído antes esa voz, aunque no habría sabido decir ni dónde ni cuándo.

–Ejem, pues… sí –admitió.

–¿Y cómo es que no estás allí?

–Pues es que hoy… los de mi clase se han ido de excursión. Y yo no tenía ganas de ir.

–Interesante… –Un resplandor metálico le indicó que el hombre que estaba a la sombra de las escaleras se miraba el reloj de pulsera–. ¿Una excursión adónde?

Jason se mordió los labios. ¿Por qué hacía tantas preguntas?

–¿Me puede devolver la mochila? –preguntó molesto.

–Naturalmente… –respondió el hombre, saliendo por fin al descubierto.

«¡Maldición!», pensó Jason.

Era el director.

Peter Dedalus
Cuaderno:
QUINTO
Título:
EN VILLA ARGO
Proyectista:
PETER DEDALUS
Capítulo:
3

Detrás de las cristaleras de la veranda de Villa Argo había dos figuras femeninas inmóviles. Una era la estatua de una pescadora remendando sus redes. La otra era la señora Covenant. Por fin estaba a solas. Y tranquila.

Su marido había llevado a los chicos al colegio y ella había fregado las tazas del desayuno y había planificado mentalmente el día.

Lo primero que había hecho era abrir las ventanas del piso de abajo para airear la casa. Luego había subido a los dormitorios y había hecho las camas. Después, en la torre, había puesto en su sitio las maquetas de barcos y los cuadernos que los chicos habían dejado en desorden, no sin antes disfrutar de las vistas espectaculares que podían contemplarse desde la ventana. La bahía refulgía y el viento peinaba dulcemente las olas.

Había vuelto en sí solo cuando, por el rabillo del ojo, había divisado la figura del jardinero que caminaba cojeando por el jardín.

«Manos a la obra...», se había dicho, volviendo al piso de abajo. Allí había comenzado a pasar revista a los miles de baratijas y objetos que inundaban Villa Argo: máscaras de madera, estatuillas de animales, jarrones de extrañas formas, candelabros, cajas, conchas, pebeteros y adornos de todo tipo. Su primera intención era eliminar buena parte de esa quincalla, quitar las alfombras para lavarlas, descolgar las cortinas y dejar que las habitaciones respiraran.

Pero no conseguía decidir por dónde empezar: en la casa, rebosante de objetos, reinaba sin embargo una perfecta armonía de formas difícil de alterar.

O se quitaba todo, o no se quitaba nada.

Y, además, tenía que encontrar la manera de arreglar una montaña infinita de cosas: su marido y el arquitecto Homer esperaban la llegada del camión con los muebles de Londres. Y, para entonces, ella tenía que tener al menos una idea de lo que había que meter en casa y de dónde ponerlo, y de lo que había que quitar y llevar al garaje.

Tenía que pensar dónde colocar los muebles más importantes.

«Con todo este espacio, tenemos dónde elegir...», había dicho su marido.

Pero no era así.

¿Dónde se podía poner el sofá negro de piel? En el salón, en lugar del amarillo que había ahora. Pero el amarillo tenía el mismo color que el cuadro de la pared, que sin embargo no pegaba nada con el negro. Y si se quitaba el cuadro, se tenía que quitar también la alfombra. Y así... hasta trastocarlo todo.

Era como si cada cosa de Villa Argo estuviera colocada allí para que no la movieran nunca jamás.

–¡Pero yo tengo que cambiarlas de sitio! –exclamó la señora Covenant en la veranda.

Fue hasta uno de los ventanales y respiró a pleno pulmón el aire cargado de salitre, lo que hizo que olvidara al instante el ansia que le producían todos esos muebles.

Un mechón de pelo rebelde le hizo cosquillas en la nariz. Se lo echó hacia atrás con un soplido y después volvió a mirar el interior de Villa Argo.

–¿Qué hago? –le preguntó a la estatua de la pescadora, que tenía la mirada serena de quien lo tiene todo bajo control.

Un crujido sobre la grava le hizo darse la vuelta.

–¡Buenos días! –la saludó Nestor, apoyado en el sicomoro.

–Buenos días.

–¿Han empezado las grandes maniobras de limpieza?

–Algo parecido.

–Muy bien, muy bien... –farfulló el jardinero, con una indiferencia que la señora Covenant consideró sospechosa. Desde la tarde anterior, cuando había encontrado a sus hijos cubiertos de hollín de pies a cabeza, tenía ganas de intercambiar un par de palabras con él.

–Justamente quería hablarle –empezó a decir.

Nestor se puso inmediatamente a la defensiva.

–Yo no sé nada de lo que han organizado los chicos. Ya se lo dije nada más vernos, ¿se acuerda? No me ocupo de los chicos. Pero si tiene algo que decirme sobre las plantas, soy todo oídos.

La señora Covenant sonrió.

–Me ha leído el pensamiento... Dígame solo una cosa: ¿Jason y Julia le han mareado mucho?

–No.

–Bien...

–Pero no sé decirle si han roto algo en casa porque, como ya le he dicho, no es responsabilidad mía vigilarlos.

La señora miró con atención el pórtico.

–Yo diría que no han roto nada. Aparte del desorden de la biblioteca y algunos muebles fuera de su sitio...

–Habrán estado explorando su nuevo reino.

–Y, conociendo a Jason, se habrán inventado por lo menos trescientas historias por cada objeto. Que en realidad son el verdadero problema de esta casa.

–¿Las historias?

–No. Los objetos. No sé por dónde empezar a meter mano a esto. Dentro de poco llegará el camión con los muebles y... en fin, si sigo así, tendrán que descargarlos en el jardín.

–Excelente idea –exclamó Nestor–. A lo mejor puede venderlos. Una vez al mes en el pueblo hay un mercado de antiguallas. Mejor aún: si le sobra, a mí me vendría muy bien una butaquita para casa.

La señora Covenant se quedó de piedra ante tanta impertinencia.

–La sugerencia del mercadillo no está mal –dijo–. Podría intentar vender las cosas viejas que hay ahí dentro.

Luego se disculpó y entró en la casa.

Nestor se cepilló rápidamente con la mano los pantalones de pana verde y se marchó cojeando hacia su casa.

Pasó por el pórtico de madera, abrió la puerta, entró y se colocó frente a la maciza mesa rebosante de objetos. Desenterró el teléfono de baquelita negra, controló un número escrito en la pizarra colgada en la pared y lo marcó furioso.

El teléfono sonó cinco veces antes de que Leonard Minaxo lo cogiera.

–Soy yo –dijo Nestor.

–Hola, viejo. ¿Qué pasa? Tantos años sin vernos y ahora parecemos dos tortolitos...

–¡Quiere quitar los muebles!

–Calma, calma. ¿Quién quiere quitar los muebles?

–La señora Covenant. Ha llegado al pueblo el arquitecto de la Homer & Homer. Le he pagado un montón de esterlinas para que tardara lo más posible, pero parece que no ha sido suficiente cantidad.

–¿Le has pagado para que tardase lo más posible?

–Exacto.

–Estás loco...

–Piensa lo que quieras, pero el camión llega esta misma tarde.

–¿Y?

–Haría falta... –Hubo un largo silencio antes de que el jardinero concluyera la frase–. Haría falta ponerle algún obstáculo.

Leonard Minaxo rió.

–Vamos a ver si lo he entendido bien. ¿Me estás diciendo que tengo que hacerlo yo?

–Exacto.

–¿Como si fuéramos de nuevo dos buenos amigos?

–No hemos sido nunca enemigos.

–Es cuestión de puntos de vista.

–Ya hemos hablado de eso. Es cuestión de no dejar que la gente muera.

–No empieces otra vez.

–O de salvarle la vida si le ataca un tiburón.

–Sabes que tienes todo mi reconocimiento.

–Y también tengo una pierna rota.

–No sigas. Te estás jugando mi ayuda.

–¿Quieres decir que me vas a ayudar?

–Depende.

–¿De qué?

–Los chicos me gustan –dijo Leonard, cambiando repentinamente de tema.

–No estaba hablando de ellos.

–Pero tendríamos que hablar, ¿no crees?

–Hace dos días subiste al acantilado para decirme que era solo un iluso…

–Y hoy te lo vuelvo a repetir. Pero a lo mejor has tenido un golpe de suerte y han llegado dos chicos listos de verdad.

–Tres. Te olvidas de Banner.

–A Banner ya lo había encontrado yo.

–A lo mejor no tendrías que estar tan orgulloso.

–Pero tampoco tengo que avergonzarme. Fue el mar, no yo.

–Leonard, escucha. Tú tienes tus ideas. Yo las mías.

–Estábamos a punto de descubrir el secreto de los constructores de puertas. A puntito.

–Cuestión zanjada.

–Solo teníamos que hacer un viaje más.

–Cuestión zanjada.

–¡Y Penelope estaba de acuerdo conmigo!

–¡He dicho que la cuestión está zanjada! –gritó Nestor–. ¿Quieres escucharme o no? Me gustaría poder detener ese camión antes de que llegue al pueblo. Lo que te pido es: ¿puedes hacerlo tú? ¿Tienes todavía las llaves de la Cyclops? ¿Te acuerdas de dónde las escondimos?

–Claro.

–Vienen de Londres. O sea, que solo hay una carretera que cortar.

–¡Eh, viejo!

–¿Qué?

–Hoy detengo ese camión, pero esta tarde vengo a verte. Y hablamos de una vez por todas de lo que vamos a hacer con las Puertas del Tiempo.

–De acuerdo. Esta tarde.

–Solo una cosa más. Ayer en Venecia vi a Zafon.

Nestor permaneció en silencio y después añadió en un susurro:

–¿Y?

–Todavía estaba allí, más arrugado y apergaminado que nunca. Y me reconoció al instante.

–¿Incluso con el ojo a la virulé?

–Cuando Ulises vuelve a casa disfrazado de extranjero, su viejo perro Argos lo reconoce.

–¿Quieres decir que solo los viejos se reconocen entre sí?

–Quiero decir que hace falta cierto sentido del olfato para darse cuenta de cómo están las cosas de verdad.

Peter Dedalus
Cuaderno:
QUINTO
Título:
EN EL DESPACHO DEL DIRECTOR
Capítulo:
4
KENT
at the coming of the Saxons
449
OCEANUS GERMANICUS
ROMAN BRITAIN
Shewing the Gaelic and Celtic Tribes
Roman Provinces
and the chief Roman Towns & Roads
CIRCA 400
OCEANUS BRITANNICUS

El director sorbió el aire con la nariz y después lo expulsó violentamente, como si quisiera que circulara el poco aire que quedaba aún en el despacho.

Un viejo ventilador oxidado se mantenía en equilibrio en el extremo de un armario imponente, como una planta carnívora lista para saltar sobre su presa. Las motas de polvo formaban órbitas casuales en los rayos de sol, que caían sobre el suelo formando una especie de alfombra de contraluces.

No se oía volar ni una mosca.

Jason y Julia estaban sentados frente al sillón del director, muy derechitos, con las manos en el regazo y los ojos clavados en la punta de los zapatos. Intentaban permanecer inmóviles porque las sillas esqueléticas sobre las que estaban encaramados gemían a cada movimiento.

Enfrente de ellos, el director apoyaba los codos en los reposabrazos de madera del sillón, punteados por las termitas. Tenía en la mano un lápiz negro con la punta afilada como un alfiler.

–Entonces, señorita Covenant, ¿podrías repetirme tu versión de los hechos?

Julia alzó la mirada un milímetro, claramente mortificada.

–Lo siento, señor director.

–Entonces lo haré yo. ¿Le has contado a miss Stella que tu hermano se había quedado en casa para cuidar de vuestra madre, que tenía la pierna escayolada?

–Es que tú también... –susurró Jason, moviendo la cabeza al lado de su hermana.

El lápiz del director se posó sobre un folio blanco.

–Una historia interesante, ¿verdad? Porque resulta que el señorito Jason, mientras tanto, estaba intentando romperse una pierna saltando por la ventana del baño de la pastelería Chubber.

Esta vez fue Julia quien movió la cabeza y susurró:

–Pues anda que tú…

El director alargó la mano hacia el teléfono.

–Quizá debería llamar a la señora Covenant, para saber cómo está…

–¡No, por favor, no! –exclamó Julia aterrorizada ante la sola idea–. ¡Es mentira!

La mano del hombre se quedó suspendida sobre el auricular.

–¿Alguna otra explicación?

Jason respiró a fondo:

–Señor director, lo siento. Ha sido culpa mía.

El director se levantó lentamente del sillón y fue a colocarse con aire indiferente junto a un viejo fichero.

–¿En serio? ¿Tengo que contener la emoción? ¿Está a punto de salir a relucir la verdad?

Jason se encogió de hombros.

–Como quiera. Quería ir al faro antes de que empezaran las clases, para recuperar mi bicicleta.

–¿Al faro? ¿Y qué hace allí tu bicicleta?

–Bueno, la bicicleta no es *mía* exactamente. Es de la hija del doctor Bowen, que me la prestó cuando la mía se estrelló contra su verja. Y está en el faro porque la dejé allí antes de montar en el carro de Minaxo para ir a Turtle Park e intentar atrapar con un barril de pez a los dos ladrones que estaban robando todos los muebles de Villa Argo.

El director se limitó a arquear una ceja.

–¿Y lo conseguiste?

–Sí, por suerte, sí –concluyó Jason con una sonrisa.

–Y, naturalmente, tus padres no lo saben.

–Oh, no –respondió Jason–. Ellos creen que fuimos a limpiar el sótano del doctor Bowen... –Solo en ese momento se dio cuenta de que Julia lo estaba mirando con los ojos como platos.

–Y, dime... –dijo con curiosidad el director, olvidándose del fichero–. ¿No crees que exageras un poco con todas esas fantasías?

–¡Oh, no, no! ¡En absoluto! –exclamó Jason–. Usted me ha dicho que le cuente la verdad, ¿no? Bueno, pues esa es la verdad.

–Jovencito... –resopló el director, apuntándole con el lápiz afilado–, no sé cómo funcionan las cosas en Londres, pero en Kilmore Cove los que son como tú harían bien en no tomar el pelo a los que son como yo.

–¡Pero yo no le estoy tomando el pelo! Estaba yendo hacia el faro, como ya le he dicho, cuando se me ha ocurrido entrar un momento en Chubber para comprar dos bollos, uno para mi hermana y otro para mí.

–¿Y luego?

–Luego ha entrado mi padre. Y como no quería que me viera... pues he decidido... irme por la parte de atrás.

–¿Y por qué no querías que te viera?

–Pues porque él pensaba que yo ya estaba en el colegio –concluyó Jason con un hilo de voz.

El director abrió las manos y después las agitó en el aire, delante de las narices de los dos gemelos:

–Vamos a ver, por orden: una jovencita que cuenta a su maestra mentiras de mal gusto, su hermano gemelo que finge ir al colegio y después se cuela en la pastelería antes de ir a vagabundear al faro.

–No iba a vagabundear.

–Sacad lo que tenéis en los bolsillos –ordenó el director–. Si no queréis que llame a casa...

Jason y Julia empezaron a vaciar los bolsillos de mala gana. Sacaron un montón de gomas para el pelo, calderilla, media fotografía chamuscada, restos de lápices, cuatro viejas llaves y una joya egipcia, dejándolo todo sobre la mesa del director.

–Es un amuleto que me regaló una amiga mía –aclaró Jason, al ver la expresión sorprendida del director.

–Muy bien. Todo esto me lo quedo yo –decidió el hombre, metiéndolo todo en una caja que después guardó en el cajón.

–¡Pero no es justo! –protestó Julia–. ¡Por lo menos déjenos las llaves de casa!

Las cuatro llaves de la Puerta del Tiempo salieron por un instante de la caja.

–¿Estas?

Julia asintió.

La mano del director levantó el auricular del teléfono.

–Llamo a vuestra madre y os las devuelvo enseguida.

Tras el silencio de los dos gemelos, el director volvió a meterlas en la caja.

–A clase inmediatamente. Y no quiero excusas.

P.D.
Peter Dedalus
Cuaderno:
QUINTO
Título:
FIEBRE
Proyectista:
apítulo:
PETER
5

Manfred se despertó sobresaltado y lanzó un grito. Había descubierto que estaba tendido en un sofá en una habitación completamente a oscuras.

–¡El caballo! –gritó por segunda vez. Estaba empapado de sudor y tenía la frente ardiendo. Miró a su alrededor sin conseguir distinguir más que la oscuridad.

Se apoyó en el codo, se tocó el cuerpo y notó que llevaba puesto un fresco pijama de seda.

–¿Qué está pasando? ¿Dónde estoy? ¿Oblivia?

Pero la persona que estaba a su lado no era Oblivia. Tenía una voz mucho más delicada y las manos aún más delicadas si cabe. Y no llevaba las uñas pintadas de morado.

–Todo va bien. Tranquilo. Estás ardiendo. Tienes mucha fiebre.

Manfred intentó replicar sin conseguirlo. Después notó algo húmedo sobre la frente, un paño mojado, y vaciló bajo ese peso.

–Muy bien. Así... –lo invitó la voz–. Vamos a ver si te baja la fiebre.

Manfred reclinó la cabeza, incapaz de oponer resistencia. Se dejó vencer por el abrazo del paño húmedo y hundió nuevamente la cabeza en el brazo blando del sofá.

–Yo... me he caído... –murmuró como si fuera una justificación.

–Claro, te has caído –le dijo la voz de la sirena–. Pero por suerte has llegado a la orilla.

–Dos veces –continuó Manfred antes de sumirse en un profundo sueño.

Gwendaline se levantó y miró con expresión misericordiosa al hombre tumbado en el sofá de su casa. Sin ese horrible mono, con el rostro relajado por el sueño, la barba rebelde y esa misteriosa cicatriz en el cuello, resultaba fascinante.

Y ahora sabía dónde lo había visto. En casa de la señorita Oblivia Newton, en las afueras de Kilmore Cove. Y después se había cruzado con él en la posada, donde habían intercambiado algunas palabras.

«Un tipo interesante», pensó Gwendaline.

Desde luego, no era el tipo de hombre que unos padres quieren para su hija... pero parecía haber vivido a fondo. Un hombre misterioso venido del mar, capaz de inflamar corazones aventureros como el suyo.

–¿Estás mejor, Cicatriz? –le preguntó la peluquera, acariciándole un mechón de pelo–. Tendrás que quedarte aquí todavía unas horas, porque la señorita Oblivia no está en casa. ¿Sabes dónde puedo encontrarla?

–No, Oblivia... se ha ido. ¡Se ha ido!

–¿Adónde?

–A Venecia... –consiguió murmurar Manfred en el delirio de la fiebre.

–¿Se ha ido a Venecia?

–El león en la puerta... Espejos... espejos...

–¿Quieres un espejo? ¿Espejos?

–Mil setecientos...

Gwendaline rió.

–No tengo tantos, Cicatriz.

Manfred seguía delirando:

–Mil setecientos... Y mientras esperaba mi moto... espejos... todas rajadas... malditos chicos... después de Egipto... con el mapa...

Gwendaline se quedó escuchando durante algunos instantes, y tras ver que no entendía prácticamente una palabra, salió de la habitación. Se refugió en la cocina, telefoneó a la casa de los Newton y le dejó a Oblivia el enésimo mensaje en el contestador.

Después, intranquila, llamó a su madre.

–No puedes imaginarte lo que me ha pasado. No. En serio, no puedes. ¡Sí! ¿Cómo lo has adivinado? Es un hombre, sí. ¿Qué quieres decir con «finalmente»? Pero no es lo que tú crees. ¡No! No puedes venir a verlo. Está durmiendo. Mejor dicho, delirando. Tiene fiebre. Dice que se ha caído rodando por el acantilado por culpa de un caballo. A lo mejor es que ha perdido todo su dinero en una apuesta. En cualquier caso, ha ido nadando hasta la playa y yo lo he encontrado. ¡Claro! Misterioso y fascinante... ¿Cómo? ¡No, claro que no le he dejado entrar todo lleno de algas! Le he puesto el pijama de Alfonse. Así aprenderá a dejarme plantada justo el día antes de mi cumpleaños. Le queda perfecto. Como si lo hubiera comprado para él. ¿Ves? Es una señal del destino, creo yo. No, no lo sé. Yo por ahora le llamo... Cicatriz.

En la habitación de al lado, Manfred empezó a delirar en voz más alta.

–¿Lo oyes? Es él. Está delirando, ya te lo he dicho. Claro que le he puesto hielo... pero nada: sigue hablando de leones, motos, Venecia... Debe de ser una especie de aventurero...

Gwendaline tapó el auricular con las manos. La voz de Manfred subió de volumen.

–Perdona un segundo, mamá. Ahora la tiene tomada con un jardinero y un par de chicos. Te llamo después. Hasta luego.

Gwendaline volvió al salón para ver qué pasaba. Manfred se agitaba en el sofá, sin dejar de apretar la sábana con la que Gwendaline lo había tapado.

–¡La Puerta del Tiempo… en la villa, la villa! Quiero ver la puerta. Pero están los chicos… los chicos… hay que detener a esos malditos mocosos… hay que detener a esos chicos…

Gwendaline prestó de repente atención.

–¿No te parece un poco exagerado, Cicatriz?

–Bloquear, cerrar, detener. ¡Cerrar la Puerta del Tiempo! ¡A casa! ¡Todos a casa!

En ese momento el teléfono de la casa de los Mainoff sonó.

–Gwendaline Mainoff, Peinados de Gran Clase. Lo siento, pero hoy la peluquería está cerrada. Solo cortes a domicilio. –Permaneció a la espera unos segundos antes de exclamar–: ¡Mamá! ¡Te he dicho que no me llames al número de la peluquería! No, no ha empeorado: habla de unos chicos que han bloqueado las Puertas del Tiempo. Sí. ¡Ay! ¿Y a mí me lo dices? Con todo lo que hay por hacer, tampoco me vendría mal una Puerta del Tiempo.

Peter Dedalus
Cuaderno:
QUINTO
Título:
EN VENECIA
Proyectista:
PETER DEDALUS
Capítulo:
6

Un alba tímida color malva se insinuó entre la niebla nocturna de la laguna. Los perfiles de los tejados y los puentes de Venecia dejaron gotear los últimos humores de la noche.

Un rayo de luz se posó sobre dos figuras asomadas al umbral de una vieja puerta y pareció detenerlos.

–No lo has entendido, Oblivia... –dijo una de las dos figuras, apoyando la mano en la puerta como para impedir que la abrieran–. Solo uno de nosotros puede volver atrás...

–¿Y por qué? –replicó Oblivia Newton tajante. Sabía perfectamente que si una persona traspasaba una Puerta del Tiempo en una dirección podía también volver a hacerlo en la dirección opuesta–. Tú llegaste a Venecia por esta puerta. Y no has vuelto atrás. Por tanto...

Peter Dedalus dio un paso atrás para apartarse del rayo de luz que, indiscreto, salpicaba de blanco la madera de la vieja puerta.

–Te recuerdo un detalle importante –dijo–. Conseguiste abrir la puerta de la Casa de los Espejos. Y las Puertas del Tiempo únicamente se pueden abrir si quien las ha atravesado ha vuelto atrás.

–Pero tú no has vuelto nunca atrás... –dijo Oblivia–. Y eso significa...

–Que alguien de aquí, de Venecia, ha atravesado la puerta en mi lugar.

Oblivia rió:

–¿Quieres decir que en Kilmore Cove hay un ciudadano veneciano del siglo XVIII?

Ahora le tocó reír a Peter:

–Bueno, en realidad hay dos.

–¿Qué quieres decir?

–La mujer de Ulysses, Penelope, era de aquí. Era una veneciana del siglo XVIII.

–Y eso significa que… –murmuró Oblivia, intentando reconstruir los distintos episodios.

–Hay alguien que ha aceptado quedarse en Venecia en su lugar –concluyó por ella Peter.

–¿Y tú sabes quién fue?

–No –admitió el relojero. Después rebuscó bajo su capa y sacó del bolsillo una moneda veneciana. Se la pasó a Oblivia por debajo de la nariz. La fecha impresa en el oro puro era 1751.

–Te propongo una apuesta.

–Sabes que me encanta jugar.

–Pero antes te invito a un café.

Suspendida en su belleza atemporal, la ciudad se había despertado. Fuera de los cafés estaban ya colocados los barriles para los parroquianos y los mercaderes de telas habían desplegado sus mercancías. De las barcas estaban descargando los cestos de hortalizas para el mercado matutino y los vendedores de escobas habían empezado a pasar casa por casa para vender sus palos.

Oblivia y Peter se sentaron en los taburetes de la calle Carità y pidieron un café solo muy caliente. Cuando llegó, lo sujetaron fuerte entre las manos para calentárselas.

Llevaban puestas unas largas capas raídas, bajo las cuales, sin embargo, se entreveían unos ropajes muy diferentes: él, unos pantalones de pana manchados de hollín; ella, un mono de motorista de cuero negro.

–¿Por qué tenemos que hacer toda esta pantomima, Peter? –preguntó ella por enésima vez, cuando hubo terminado su café. Sus largas uñas moradas se apoyaron sobre la superficie del barril como misteriosos insectos exóticos–. Y, sobre todo, ¿por qué me has esperado?

Peter no respondió. Estaba adaptando la montura de hierro de sus gafas a una nueva lente. Había perdido su viejo par de gafas en el incendio de su taller, la tarde anterior.

Oblivia Newton esperó a que las expertas manos del relojero de Kilmore Cove terminaran su trabajo; después lo miró fijamente a los ojos.

–No te he esperado –respondió Peter entonces–. Sencillamente hemos llegado al mismo tiempo.

–Podrías haber abierto la Puerta del Tiempo, dejándome aquí para siempre... –prosiguió Oblivia despiadada–. Podrías haber corrido al encuentro de tus amigos para advertirles del peligro: «¡Oblivia sabe lo de la Primera Llave! ¡Le he revelado también el último de nuestros secretos! ¡Y le he confesado que Black Vulcano se ha llevado consigo todas las llaves!». Podrías haberlo hecho, ¿no?

Peter Dedalus asintió:

–Sí. Puede ser.

–¿Pero?

El relojero suspiró.

–Pero no me apetecía...

–¿Y la apuesta? –dijo entonces Oblivia, interrumpiéndolo bruscamente.

Peter respiró profundamente.

–Tú quieres volver a Kilmore Cove para buscar la Primera

Llave y todas las demás llaves que Black Vulcano ha puesto a recaudo.

–Pues claro.

–Solo que no puedes hacerlo.

–¿Y se puede saber por qué?

–Black Vulcano no era tan estúpido como para esconder las llaves en Kilmore Cove. Precisamente porque existen personas como tú, se las llevó lejos. Muy lejos. Te he contado ya cómo lo hizo: traspasó una de las Puertas del Tiempo del pueblo y... se quedó en el otro lado.

Oblivia se mordió los labios.

–O sea, que la puerta que abrió...

–Exacto: esa puerta está cerrada. Y permanecerá cerrada hasta que alguien la use para volver atrás.

–Tengo un poco de prisa, Peter. ¿La apuesta?

–Hay solo una forma de seguir a Black Vulcano.

–¿Y tú la conoces?

–Sí.

–¿Y me lo vas a decir?

–A lo mejor. –Peter le señaló la moneda y prosiguió lentamente–: Pero yo también quiero volver a Kilmore Cove. Y hay por lo menos una cosa que no sé.

–Quién ha vuelto a Kilmore Cove en tu lugar –adivinó Oblivia– y te ha dado con la puerta en las narices.

–Exacto. Digamos que los dos tenemos motivos para querer volver atrás, pero tenemos un solo billete de ida.

–¿Entonces? –insistió Oblivia.

–Entonces lo echamos a suertes. Cara o cruz. A la primera. Quien gane, vuelve atrás.

Oblivia miró fijamente la moneda reluciente situada en el centro del barril.

–Si acepto, ¿me dirás cómo puedo seguir a Black?

–Exacto.

–¿Y si no acepto?

–Puedes volver a Kilmore Cove ahora mismo si quieres, pero no sabrás nunca cómo llegar hasta Black.

Oblivia cogió la moneda, la sopesó en la palma de la mano y la hizo pasar entre las uñas esmaltadas. Respiró hondo y después dijo:

–Si acepto, ¿tú qué ganas?

–La libertad de no tener ningún secreto más que custodiar. Y un cincuenta por ciento de posibilidades de volver a casa.

La mujer hizo girar la moneda sobre la mesa. Esperó a que acabara de dar vueltas y después contestó:

–Acepto.

Peter saltó como impulsado por un resorte. Se puso las gafas torcidas en la nariz y dijo:

–Entonces, ven conmigo.

–¿Adónde vamos?

–A mi góndola mecánica.

P.D.
Peter Dedalus
Cuaderno:
QUINTO
Título:
CASA BANNER
Proyectista:
DEDALUS
Capítulo:
7

Cuando la campana de la escuela sonó a mediodía, los chicos empezaron a salir todos al mismo tiempo de las clases, gritando de contento. Se precipitaron por las escaleras que daban a la salida, solo aminorando imperceptiblemente la marcha al pasar por delante de la pequeña puerta del despacho del director, que estaba allí, de pie, rígido como una estatua de sal.

De la masa informe de estudiantes salieron tres figuras, Jason, Julia y Rick, que se colocaron sin decir una palabra junto a la silueta enjuta del hombre.

El director fingió no verlos hasta que el último de los chicos no hubo abandonado el edificio. Después dirigió a Rick una mirada inquisitiva:

–¿Y tú qué quieres, Banner?

–Está con nosotros –explicó Jason.

–Ah, ¿en serio?

–Sí. Está enamorado de mi hermana.

Rick y Julia le soltaron sendas patadas con tal velocidad que el director ni siquiera se dio cuenta.

–Ten cuidado, Banner Junior. La señorita Covenant está castigada –dijo en tono muy serio.

Rick se había puesto del mismo color que su pelo.

Julia Covenant, que estaba quizá aún más roja que él, hizo caso omiso de su hermano, que se masajeaba las espinillas doloridas, y preguntó:

–Y ahora, ¿sería tan amable de devolvernos las llaves de casa, señor director?

El hombre examinó a los tres de arriba abajo con una mirada fija y penetrante, la mirada propia de quien está acostumbrado desde hace tiempo a tratar con los peores mocosos. En ese momento un repiqueteo mecánico les indicó que miss Stella estaba bajando las escaleras con sus habituales tacones de aguja, lo que le ofreció la oportunidad de prolongar un poco más su agonía.

–¡Tendremos que preguntárselo a miss Stella! –sentenció.

–Pero… ¡Ufff! –protestó Jason, que se sentó abatido en el último peldaño.

Los cuatro permanecieron en silencio, en espera de que la maestra acabara su larga y fatigosa caminata. Miss Stella, por su parte, se quedó gratamente sorprendida al ver ese inesperado comité de bienvenida.

–Miss Stella –comenzó a decir el director–, me estaba preguntando si hoy los dos gemelos Covenant se han comportado bien.

Una amplia sonrisa iluminó el rostro de la maestra, que respondió que no solo se habían comportado bien, sino que habían sabido interpretar a la perfección todos los poemas que ella había leído en clase.

El director la despidió satisfecho.

–¿Y ahora nos devolverá las llaves de casa? –le preguntó Julia por segunda vez.

El hombre condujo a los tres fuera de la escuela sin responder.

Una vez allí, identificó con una sola ojeada el que seguramente era el coche del señor Covenant, que esperaba al otro lado de la plaza. Se colocó de manera que lo vieran bien y les soltó el último y monumental rapapolvo, concluyendo con estas palabras:

–Así que si os vuelvo a pescar aunque sea solo una vez a uno solo de los tres…

–Pero ¿yo qué tengo que ver? –protestó Rick.

–¡Tú también estás metido en esto, Banner! –cortó tajante el director–. Si no, no estarías aquí con ellos. Así que, repito, si vuelvo a pescar aunque sea solo una vez a uno solo de los tres contando mentiras para no venir al colegio, ¡no habrá faros, bicicletas ni pastelerías que valgan! ¡El castigo que os pondré no se os olvidará fácilmente! –El director dejó que los chicos asimilaran el tono intimidatorio de la regañina y después concluyó–: Por tanto, reservándome el derecho de decidir más adelante respecto al contenido de la caja con vuestros bienes, hoy os restituyo solo una parte. Las llaves de casa… –y dicho esto tendió a Julia las cuatro llaves de la Puerta del Tiempo– y esta goma del pelo rota.

Jason miró con desagrado el trozo de goma que estaba en la palma de su mano.

–¿Y la foto? ¿Y mi medallón egipcio?

–Mañana por la mañana. A la entrada del colegio –sonrió el director, girándose teatralmente–. Puntuales, no lo olvidéis.

–Creía que ya no veníais –dijo el señor Covenant al ver llegar a los chicos.

–Papá, ¿te acuerdas de Rick? –preguntó Julia.

–Bueno, así a la luz del día, sin hollín y sin algas en la cabeza es un poco distinto… Pero, sí. Hola, Rick.

–Buenos días, señor Covenant.

–«Buenos días, señor Covenant» –lo imitó Jason, que se sentó con gesto malhumorado en el asiento de delante.

El señor Covenant miró a su hijo y preguntó:

–¿Algún problema?

–En cierto modo, sí –se entrometió Julia–. Tenemos muchos deberes y... Rick puede venir a estudiar con nosotros esta tarde, ¿verdad?

–Claro –sonrió el señor Covenant, indicando el acantilado con el índice de la mano derecha–. Pero será mejor que le preguntéis a mamá. ¿Por qué no os llamáis después de comer?

–Vale. Os llamo yo. Adiós, señor Covenant –respondió Rick. Dio unos pasos atrás hasta llegar a su bicicleta y lanzó una última mirada a Julia–. Te llamo yo.

–No. Te llamo yo –respondió ella.

–Se están volviendo verdaderamente empalagosos –susurró Jason, poniéndose el cinturón.

Rick pasó pedaleando despreocupado junto a la iglesia de Kilmore Cove con la velocidad de una gaviota. Le parecía que hacía un día fantástico. Y tenían toda una tarde por descubrir. Saludó con la mano al padre Phoenix, que estaba charlando con algunas personas a la sombra del campanario, y después se dirigió hacia el mar, donde los pescadores quitaban las lonas de los puestos de pescado. Villa Argo dominaba la perspectiva del acantilado. Rick esperó hasta ver asomar por el camino sinuoso el coche plateado del señor Covenant. En cuanto lo vio, buscó un mojón de piedra en el que apoyar un pie y permaneció así, en equilibrio sobre la bicicleta, observando el automóvil que ascendía, una curva tras otra, hasta la casa.

–Te llamo yo –murmuró, mientras el último reflejo se confundía con el verde del parque.

Rick sonrió, hizo una rápida pirueta y puso rumbo a casa.

–¿Y esto? –le preguntó su madre minutos después. No entendía qué pasaba. Rick traía un paquete de regalo: una pequeña caja de cartón envuelta con papel charol amarillo y con un gran lazo verde y una espiga de trigo.

–¡Ábrelo, venga!

–Pero ¿es para mí?

–Sí, mamá. Para ti, y a lo mejor también un poco para mí.

Ella cogió el regalo, se sentó a la mesa y apartó ligeramente el mantel de cuadros. Apoyó el paquete en la mesa y se quedó contemplándolo como se contempla algo inesperado. A sus espaldas la olla con la menestra estaba hirviendo.

–Pero… ¿te has vuelto loco?

–A lo mejor –sonrió su hijo–. ¡Venga, ábrelo!

Del paquete salía un dulce aroma de fruta. La señora Banner se quitó el delantal. Acababa de volver, como todas las semanas, de hacer la limpieza en casa de los Connors y estaba agotada.

–¿Qué celebramos? –preguntó, intentando romper la cinta verde con las manos que aún olían a amoníaco.

–¿Una tarde espléndida? –propuso Rick.

La cinta cayó al suelo y el papel reluciente se desplegó fragorosamente hasta revelar una docena de gigantescas gelatinas de fruta recubiertas de cristales de azúcar.

En cuanto las vio, la señora Banner se llevó la palma de la mano a la boca.

–¡Rick! Pero estas son nuestras… –exclamó conmovida. Sentía una emoción precisa y profundísima.

–Sí –terminó Rick en su lugar–. Son nuestros caramelos favoritos. Los tuyos, los míos y… los de papá.

Los recuerdos afloraron rápidamente. Todos los domingos al salir de misa el padre de Rick iba a la pastelería Chubber a comprar las gelatinas de fruta, mientras su madre se quedaba charlando un rato y Rick corría detrás de las gaviotas que se reunían en la plaza, atraídas por el toque de las campanas. A veces Rick lo acompañaba y elegía las gelatinas que tenían que poner en la bandeja: cinco rosas, sus favoritas, y solo dos de las verdes, que eran demasiado ácidas para su gusto, pero que le gustaban tanto a su padre.

Pero las gelatinas habían desaparecido de casa Banner junto con su padre. Él se había quedado en algún lugar del mar. Las gelatinas en los mostradores de Chubber, donde su madre no había tenido el valor de volver a poner un pie.

–Venga… –dijo Rick, que ese día había decidido recuperar la tradición, aunque no fuera domingo y no hubieran ido a misa–. Elige una.

Los ojos de su madre brillaban de lágrimas. Movió la cabeza.

–N-no. Coge tú.

Rick eligió una de las dos gelatinas verdes que le gustaban tanto a su padre.

Se la metió en la boca, apoyándola en la lengua sin masticarla, temiendo el momento en que empezaría a notar el sabor ácido. Sin embargo, la gelatina reveló un inesperado y delicado aroma de menta.

Rick sonrió. Le gustaba.

Había crecido.

Peter Dedalus
rno:
QUINTO
ulo:
LAS MÁQUINAS
CAMUFLADAS
Proyectista:
PETER DEDALUS
Capítulo:
8

Leonard Minaxo colgó el teléfono de baquelita negra. Después ordenó algunas de las cartas de navegar que atestaban los estantes de la habitación situada en la parte más alta del faro. Encima de una carta llena de garabatos barométricos, reposaba el ejemplar de *El viajero curioso*, la guía de Kilmore Cove que había recuperado de la librería de Calypso el día anterior, para evitar que cayera en manos de los chicos.

Leonard cerró la puerta tras de sí y empezó a bajar los más de mil peldaños de la escalera de caracol que dividían la punta de la torre del faro de su base. La escalera, sin barandilla, estaba adosada a la pared exterior, que tenía un aspecto inquietante. A lo largo de los años Leonard había colgado en ella los huesos de las piezas más grandes que había pescado. Entre las más impresionantes se encontraban la mandíbula de una ballena capturada en el norte de Siberia, tres afiladas bocas de tiburones del Pacífico, los colmillos de una morsa y un largo cuerno de narval ártico.

Leonard llegó a la puerta que estaba al fondo de la escalera, pero aún bajó un par de rampas más, situadas por debajo del nivel del suelo, hasta llegar a una puerta cerrada. Le echó un vistazo, se volvió por donde había venido y salió del faro.

Soplaba un viento fuerte de poniente, que mantenía las olas bajas y rectas.

Leonard llegó hasta la cuadra y abrió la puerta del establo de Ariadne.

–Tienes suerte –dijo dirigiéndose a la yegua mientras le frotaba rápidamente el cuello–. Hoy salimos también a pasear.

La ensilló con dos rápidos movimientos y la condujo de las riendas hasta el prado que había delante de la casa. Repasó mentalmente si había cerrado todo y se aseguró de llevar el cuchillo en el cinto. Luego montó en la silla de un salto.

–¡Arre! –gritó en las orejas de Ariadne–. ¡Al bosque, pequeña!

La yegua comenzó a trotar nerviosamente a lo largo del camino para lanzarse, inmediatamente después, a todo galope.

Leonard se dobló sobre la silla como un experto cowboy. Recorrió como un rayo el callejón que ascendía hasta el camino de la costa y giró hacia las colinas de Crookheaven.

Con pocos pero firmes movimientos de muñeca, Ariadne se adentró en el estrecho sendero flanqueado por peñascos irregulares que subía por la colina situada a espaldas del pueblo. El sendero ascendía serpenteando hasta la cima para continuar ya en lo alto hacia el interior.

Muy pronto el viento marino dejó de soplar para dar paso a las bajas corrientes de la colina.

Ariadne llegó a los linderos del bosque y se adentró bajo los frondosos árboles. Solo entonces Leonard se relajó en la silla, haciendo que la yegua aminorara el paso.

–Espera, espera... –le susurró–. Hace tiempo que no vengo por aquí.

El bosque era bajo, no demasiado tupido y estaba poblado de arbustos, matorrales de colores y maleza. Aquí y allá se levantaban encinas centenarias y esbeltos árboles de corteza clara, altos y delicados como flamencos.

Leonard se orientó entre los senderos, conduciendo a Ariadne hasta el corazón más profundo y antiguo del bosque, allí donde las frondas se hacían más densas y crecían las sombras.

Solo desmontó una vez para inspeccionar el terreno. Llegó a un camino de tierra más ancho y lo recorrió hasta llegar a un tronco con una cinta roja atada. Allí dobló a la izquierda.

Bajó de la silla y, silbando, empezó a cortar las ramas con el cuchillo. Ariadne aprovechó para pacer un poco en la hierba fresca.

Después de unos diez minutos de trabajo, Leonard se detuvo. Había llegado hasta la silueta de una máquina gigantesca cubierta por una lona verde, mimetizada con hojas y ramas secas.

Levantó la lona y dejó al descubierto un cartel:

DERRIBOS CYCLOPS

Y exultó de alegría.

Dio toda la vuelta en torno a la máquina, y cuando acabó de quitar la lona apareció una enorme excavadora amarilla con un largo brazo arqueado, similar al cuello de un dinosaurio. Saltó primero sobre la llanta articulada y después entró y se sentó al volante, colocándose detrás de la espalda un cojín negro que había en el asiento del conductor. Se escupió en las dos manos y miró los mandos y las palancas, que conocía bien. Por un momento arqueó la ceja derecha, perplejo. Después recordó que la llave de arranque estaba escondida detrás del pedal del acelerador. Se agachó y la agarró.

Encendió el motor y aferró las palancas de los mandos.

–Vamos, monstruo. ¡Tenemos que volver a ponernos manos a la obra!

Peter Dedalus
Cuaderno:
QUINTO
Título:
COMIDA EN
VILLA ARGO
Proyectista:
PETER DEDALUS
Capítulo:
9

Sentado a la mesa, Jason miraba fijamente con aire desolado la montaña de guisantes que su madre le había echado en el plato. Mientras Julia contaba lo que había hecho esa mañana en el colegio, Jason conseguía como mucho dividir esas minúsculas bolas verdáceas en pirámides más pequeñas, y usaba el tenedor como una catapulta en miniatura. Estaba sumido en oscuros pensamientos, que incluían, por este orden: el director, que le había robado el amuleto de la suerte que le había regalado Maruk en la Tierra de Punt; la única foto de Ulysses Moore; el hecho de no haber conseguido ir al faro para hablar con Minaxo; una sensación de angustia generalizada por tener que estar sentado a la mesa, y, para acabar, cierta sensación de fastidio por como Rick y su hermana habían empezado a intercambiarse lo que a él le parecían repulsivas miraditas dulzonas.

–¿Y a ti cómo te ha ido está mañana? –le preguntó su madre, mientras resbalaba sobre algunos guisantes que se habían caído al suelo a sus espaldas–. Pero, bueno, Jason, ¡quieres dejar de jugar con la comida!

Él apartó el plato de un manotazo.

–No tengo hambre.

–Acaba de comer –le ordenó con gran tranquilidad su padre–. Y respóndele a tu madre.

–¿Qué?

–El colegio... –le sopló Julia.

Solo entonces Jason abandonó sus elucubraciones y comprendió la situación. Estaban los cuatro sentados comiendo en el porche, delante de la cocina, con el mantel de lino blanco restallando al viento y el sol filtrándose a través de los árboles del jardín, salpicando de manchas luminosas la grava de su alrededor. Villa Argo era como una especie de límite oscuro que se ensanchaba en dos direcciones y parecía a punto de zambullirse en el mar.

–En el colegio... nada –resumió Jason, mirando los platos de los otros.

–Julia nos acaba de decir que habéis leído unas poesías –dijo el padre, que le volvió a poner el plato de guisantes bajo las narices.

–Sí. Algo figurado.

–¿Figurado?

–Sí, o sea, el significado de lo que estaba escrito en la poesía no tenía nada que ver con lo que estaba escrito en la poesía –explicó Jason.

–Perfecto –comentó el señor Covenant–. Más o menos como lo que estás diciendo, que no tiene tampoco nada que ver con lo que estás pensando.

–Jason anda todavía pensando en el fantasma que vive en esta casa –intervino Julia, intentando desviar la conversación.

La señora Covenant dejó un momento la pila de platos en el borde de la mesa y se atusó el pelo, que se escapaba salvaje de las horquillas.

–Pues os lo creáis o no, yo estoy de acuerdo con Jason.

Él levantó la mirada sorprendido.

–¿O sea?

–Me he pasado toda la mañana en casa, arriba y abajo, intentando hacer sitio a los muebles que están al llegar. Pero es una pesadilla, creedme. Esta casa debe de estar embrujada.

–Dentro de poco vendrá Homer a echarnos una mano –apuntó el señor Covenant, mirando el reloj.

–¿Queréis dejarlo entrar en casa? –preguntó Jason alarmado.

–Pues sí. Es arquitecto. Puede ayudarnos, ¿no?

–¿Y tiene intención de mover cosas como... mesas, butacas o... armarios?

–Jason, ¿qué te pasa?

El chico lanzó a su hermana una mirada de alarma. Con otro adulto dando vueltas por la casa, la situación se hacía aún más complicada. La posibilidad de usar la Puerta del Tiempo quedaba excluida por completo.

–Es que si vosotros y el señor ese os pasáis el día moviendo muebles... –improvisó Julia– será difícil que podamos concentrarnos. Y tenemos que estudiar. ¿No es verdad, Jason?

–Pues...

–Caray, chicos –saltó el señor Covenant–. Este sitio es tan grande que ni siquiera nos oiréis. Y, además, no vamos a tardar toda la tarde.

–No estés tan seguro –replicó su mujer–. Aquí es prácticamente imposible mover nada. ¿Sabes lo que me ha pasado esta mañana? ¿Recuerdas el comedor con el armario negro y las dos rinconeras?

El señor Covenant inclinó la cabeza como para decir: «Vagamente».

–Pues encima de las rinconeras hay dos jarrones. Los he quitado y los he llevado al salón porque he pensado que en su lugar podíamos poner esos candelabros rojos que nos ha regalado mi madre.

La sonrisa del señor Covenant se congeló en una mueca de melancólica condescendencia. Odiaba los candelabros rojos de su suegra.

–¿Y...? –murmuró.

–He ido a buscar una cosa al piso de arriba. Y cuando he vuelto, los dos jarrones estaban de nuevo en las rinconeras.

–Pues entonces tendremos que olvidarnos de los candelabros de tu madre, ¿no? –sonrió el señor Covenant aliviado.

–Pero ¿no lo entiendes? ¿Cómo han podido los dos jarrones volver a colocarse ellos solos encima de las rinconeras?

Jason sonrió pícaramente.

–El fantasma –susurró.

–¡Exacto! –exclamó su madre–. Un fantasma que no quiere que aquí dentro... se mueva nada.

–Vamos, Julia. ¡Tenemos que encontrarlo! –exultó de alegría Jason, levantándose de la mesa.

El señor Covenant le obligó a sentarse de nuevo.

–Pero antes acábate los guisantes.

Poco después la señora Covenant salió de la cocina con una taza de café para su marido. Era una costumbre que había adquirido durante su último viaje a Italia.

–Podríamos hacerlo así... –propuso Julia, que había vuelto al tema de los deberes–. Si hoy no tenéis que hacer nada en la salita de piedra, nos podemos poner a estudiar allí tranquilamente.

Jason, engullendo el último bocado de guisantes fríos, admiró la idea de su hermana: con esa habitación a su disposición, protegerían también la Puerta del Tiempo de visitas inoportunas y peligrosas.

–Pero ¿no podéis poneros en un sitio más tranquilo, como la biblioteca por ejemplo? –preguntó el padre, con una sonrisa, cogiendo la taza de café. Se puso media cucharadita de azúcar y empezó a girarla furiosamente, en sentido contrario a las agujas del reloj–. ¿Y ese amigo vuestro? ¿Va a venir a estudiar con vosotros?

–¿Qué amigo? –intervino la señora Covenant.

–Rick –respondió Julia.

–El chico pelirrojo –especificó Jason.

El señor Covenant colocó la cucharilla en el borde del plato, cogió la taza y se la acercó a los labios.

En ese preciso instante, sonó el teléfono.

–¡No puede ser! –gruñó, dejando de golpe la taza–. ¡Siempre igual!

–Es para ti –rió su mujer.

El señor Covenant se levantó de la mesa resoplando y desapareció para ir a coger el teléfono.

Desde fuera, los chicos lo oyeron contestar y después lanzar una larga retahíla de improperios cada vez más subidos de tono.

–He acabado –dijo Jason poniéndose de pie–. Me voy.

Julia le hizo señas de que se sentara y se estuviera callado. Los dos hermanos miraban fijamente el umbral de la cocina en espera de noticias, cada vez más preocupados.

–¡Es increíble! –refunfuñó al poco tiempo el señor Covenant, que había vuelto a la mesa. Agarró la taza con rabia y se bebió el café de un trago–. ¡Esto es una locura! ¡Están locos de atar! ¡De atar!

–¿Qué pasa?

–¡Pasa que los del camión se han dado la vuelta!

–¿Cómo que se han dado la vuelta?

–Dicen que primero se han encontrado un árbol entero atravesado en la carretera. ¡Un árbol entero! ¡Como si hubiera habido una tormenta capaz de arrancar un árbol de raíz! Habrían tardado media mañana en quitarlo. Y hay más. Dicen que había tantos baches en la carretera que les daba miedo que se rompiera el camión.

–¿Baches?

–¿Viste tú un solo bache ayer por la tarde?

–A lo mejor se han equivocado de carretera… –sugirió la mujer.

–¡Pero si no hay otra carretera! ¡Una ya es mucho! Y no se acaba aquí: el conductor del camión ha decidido darse la vuelta definitivamente cuando ha visto… ¡una especie de coloso con un solo ojo que conducía amenazadoramente contra ellos una gigantesca excavadora amarilla!

Julia y Jason cruzaron una mirada fulminante.

–¿Estás de broma? –preguntó la señora Covenant.

–Me lo acaba de contar Homer. Hemos quedado en la plaza para ir a ver qué diablos ha pasado en la carretera.

–¿Y yo qué hago?

–No sé qué decirte –respondió el señor Covenant, desmenuzando la servilleta de papel–. Relájate. Lee un libro. Sal a dar un paseo. Yo me tengo que ir. –A pocos pasos del coche, exclamó–: ¡Maldición, maldición y más maldición!

Jason y Julia esperaron hasta que lo vieron marcharse. Después, en el momento mismo en que su madre se giró hacia ellos como para preguntarles algo, se pusieron de pie y dijeron al unísono:

–Nos vamos a estudiar.

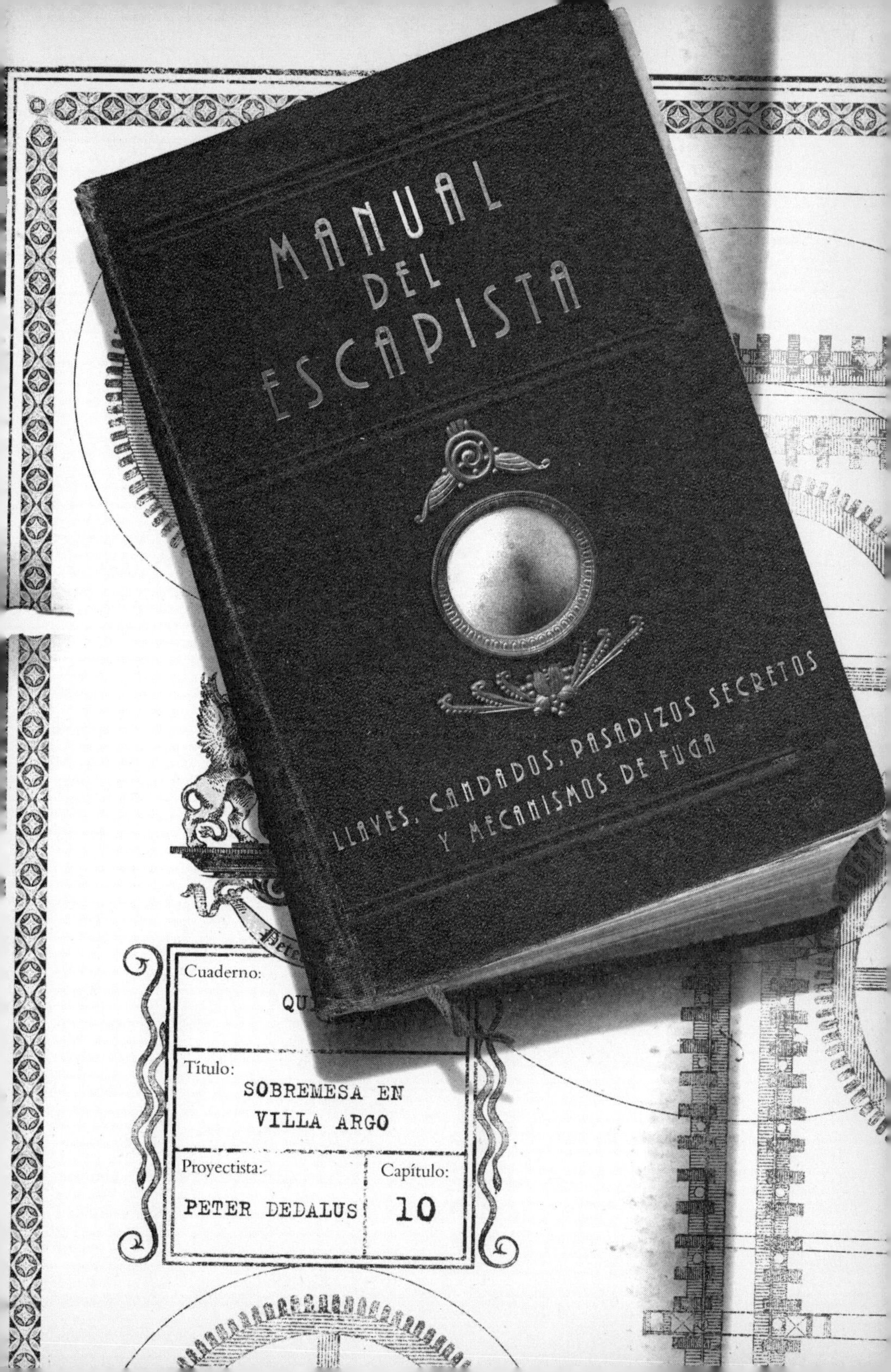
MANUAL DEL ESCAPISTA
LLAVES, CANDADOS, PASADIZOS SECRETOS Y MECANISMOS DE FUGA
Cuaderno:
Título:
SOBREMESA EN VILLA ARGO
Proyectista:
PETER DEDALUS
Capítulo:
10

Jason y Julia subieron corriendo las escaleras, en cuyas paredes colgaban los cuadros de los propietarios de Villa Argo. La llamada de teléfono que había recibido su padre había logrado interrumpir buena parte de los oscuros pensamientos de Jason y, como un soplo de viento en las brasas, reavivar su entusiasmo.

–En Chubber, ¿sabes? –le contó a su hermana, mientras llegaban a la habitación de la torre.

–¿Estás seguro?

–Como que estoy aquí.

–Villa Argo, miss Biggles… –recapituló Julia–, la Casa de los Espejos y Chubber. Cuatro puertas. Pero ¿cuántas serán en total?

Jason movió la cabeza.

–No lo sabemos. Y es lo primero que tenemos que descubrir.

–¿Por dónde empezamos?

–Por la biblioteca –propuso el chico–. Cuando estábamos en la Isla de las Máscaras, Peter habló de un libro con las puertas de Kilmore Cove y el dibujo de la Primera Llave. –Levantó los ojos para cruzar la mirada con su hermana, pero ella estaba de espaldas. Envuelta en la luz del día como en un envoltorio resplandeciente, contemplaba la bahía de Kilmore Cove a través de los ventanales de la torre–. ¿Julia?

La chica salió de su ensimismamiento.

–Ok. Biblioteca. Yo voy a llamar a Rick.

Jason leyó las placas de bronce que identificaban los distintos estantes de la biblioteca de Villa Argo. De la cocina llegaban los ruidos que hacía su madre, a vueltas con los platos, y el viento fuera de la ventana inclinaba las ramas de los árboles del jardín. Pasó muy estirado junto al viejo piano, el sofá de piel de búfalo y las butacas giratorias, estudiando con atención los lomos de los libros forrados de piel, los que tenían caracteres dorados consumidos por el tiempo, los negros y los que no tenían nombre, los volúmenes altos y estrechos donde estaban dibujadas las setas con sus altisonantes nombres latinos, los tratados de anatomía plagados de dibujos repugnantes, los pequeños breviarios con las constelaciones y los macizos volúmenes de las enciclopedias. Saltó filas y filas de novelas, de diarios de viaje, de colecciones de mapas geográficos y de ensayos filosóficos. Mientras observaba uno a uno los volúmenes, los antepasados de la familia parecían mirarlo con curiosidad desde el fresco del gran árbol genealógico que había pintado en el techo.

Después, por fin, encontró el que estaba buscando. Con gran satisfacción descubrió que se trataba de un libro alargado y estrecho, encuadernado en tafilete rojo.

El título, estampado con elegantes caracteres Liberty, rezaba: *Manual del escapista: llaves, candados, pasadizos secretos y mecanismos de fuga*.

Arrastró una butaca bajo el estante, se encaramó y cogió el volumen, en cuya portada había un espejo redondo engastado.

Julia volvió a entrar en la habitación llevando el *Diccionario de las lenguas olvidadas.*

–Rick viene luego –dijo tras sentarse en la alfombra junto a su hermano–. ¿Tú qué has encontrado?

Jason no le contestó, de tan fascinado que estaba por el libro que hojeaba. Las páginas alargadas y estrechas eran sutiles como el papel de seda y tenían el color del alabastro. Ni blancas ni grises, estaban estampadas a dos columnas, separadas entre sí por un elegante motivo floral. De vez en cuando, el apretado texto quedaba interrumpido por una ilustración en blanco y negro. Eran en su mayoría figuras de complicados candados, secciones de cerraduras y mecanismos que servían para camuflar compartimentos secretos dentro de armarios, baúles o casas. Cada ilustración iba acompañada por una tupida red de flechas y números, que explicaban el funcionamiento con todo detalle. Por ejemplo, tirando de la palanca número uno, que estaba fijada en el interior del candelabro, se accionaba el peso conectado a la polea número dos, que hacía saltar el perno número tres y abría la puerta empotrada número cuatro, la cual hasta ese momento nadie habría pensado que fuera algo distinto a un espejo de cuerpo entero.

Jason observó con la máxima atención los mecanismos que permitían abrir el candado con combinación «Voronoff» una sola vez antes de destruirse y descubrió cómo se fabricaba el diente especial de la llave «Coquebrune», utilizada por los aristócratas franceses para esconder en casa sus joyas.

–Increíble... –murmuraba en cada página, mientras observaba entusiasmado cadenas y candados, cofres y trampillas con resortes, puertas giratorias y escaleras secretas.

Después, acordándose de repente del motivo por el que había buscado el libro, lo cerró de golpe y lo volvió a abrir por el final para consultar el índice.

El manual era una recopilación de artículos de autores diversos, diversamente ilustrados. Jason puso el libro en medio, de manera que lo pudiera ver también su hermana, y repasó la frágil página del índice, en la que los autores estaban reseñados sin un orden aparente, hasta que encontró: «Raymond Moore. *Breve análisis científico de las ocho puertas de Cornualles. Curiosidad de ingenieros y sueño de desvalijadores.* Véase la página 223».

–¡Ocho puertas! –exclamó el chico, pasando furiosamente las páginas hasta llegar a la 223.

–Raymond Moore… –murmuró, por su parte, Julia, levantando los ojos hacia el árbol genealógico pintado en el techo. Buscó ese nombre entre los muchos que abarrotaban las ramas, empezando por el último, Ulysses, hasta llegar al patriarca inmemorial de la familia: Xavier.

–¡Ahí está! –exclamó, cuando vio el nombre de Raymond, más cerca de Xavier que de Ulysses. Se había casado con una cierta madame Fiona.

Julia contó las generaciones que lo separaban del antiguo propietario y dijo:

–Estamos hablando de una persona que vivió hace al menos cuatrocientos años.

–Me habló de él también Leonard Minaxo –comentó Jason.

–¿De Raymond Moore? ¿Cuándo?

–Ayer –recordó él–. Cuando entramos en Turtle Park, me dijo que el jardín lo había proyectado un antepasado de los Moore llamado precisamente Raymond. –Y tras decir esto indicó el nombre que seguía al título del artículo–. Aunque, para ser precisos, Leonard dejó escapar que Raymond era un antepasado *suyo*.

–O sea, que el farero…

–Exacto –concluyó Jason, y se puso a leer.

El artículo estaba escrito con el estilo arcaico y ampuloso típico de la época. Tras un interminable saludo a los lectores, el antepasado de Ulysses pasaba a tratar el tema anunciado en el título. Decía, en resumen, que había venido a saber de la existencia de un tranquilo lugar en el Cornualles meridional al que se podía llegar solo por mar y en el que había una rara serie de cerraduras. Raymond reproducía minuciosamente su sección. El pueblo estaba formado por pocas construcciones de piedra y no tenía otras características dignas de mención, salvo un paisaje encantador, por otra parte común en la región.

Julia le hizo notar a Jason que Raymond procuraba no mencionar nunca el nombre de Kilmore Cove y que insistía en el hecho de que no había caminos que lo unieran con otros pueblos, por lo que solo se podía llegar hasta él por mar.

Las ocho cerraduras estaban montadas en sus respectivas puertas en los más diversos edificios del pueblo: una oficina de correos, una romántica casa con una lechuza, la casa de un pescador, una cuadra, un antiguo templo en la cima de la colina, una granja Beamish, la torre de guardia y el faro.

Curiosamente, observaba el autor del artículo, ninguna estaba colocada en un edificio representativo del pueblo, como podía ser, por ejemplo, la iglesia, sino en lugares más bien anónimos. Una puerta, además, carecía completamente de muros y estaba apoyada en la parte de atrás de un carro.

Las puertas eran de madera maciza, muy dura y de color oscuro. De las ocho que había, una sola parecía más antigua que las otras y presentaba una cerradura más compleja. Era la puerta empotrada en la pared de la vieja torre de guardia, una construcción romana que se encontraba en la cima del acantilado.

Con un escalofrío, los dos gemelos reconocieron por el diseño de la cerradura la Puerta del Tiempo de Villa Argo.

–Entonces... ¿esta casa se levanta sobre las ruinas de la antigua torre romana? –murmuró Julia.

–Una antigua torre de guardia –precisó Jason, empezando a leer en voz alta–: «Las maravillosas cerraduras de estas puertas no precisan de manutención alguna y sus mecanismos corren libres de sujeciones, pesos y fricciones de todo tipo, como si tuvieran la consistencia del líquido. Merece el máximo interés el material mismo con el que fueron admirablemente construidas: una aleación refinadísima de metales cuya fórmula escapa incluso al más cuidadoso análisis alquímico. De los reactivos que he aplicado en cantidades mínimas para determinar su naturaleza, se diría que la mayor parte de la aleación está compuesta por oro, ya que ningún reactivo, a excepción del mercurio, la ha dañado. Los mecanismos, sin embargo, no presentan ni la fragilidad ni las propiedades de conducción del calor del oro. Dejo por tanto la siguiente tabla de resultados (n.º 3) a los estudiosos que deseen dirigirse a tal lugar para profundizar el trabajo de investigación. –Jason hizo una pausa y después siguió leyendo–: Los mecanismos antes citados se ponen en marcha con llaves de líneas simples y elegantes, cuyas empuñaduras están adornadas con fantásticas siluetas de animales. En mi estudio he tenido la oportunidad de examinar cinco de estas llaves, de las que facilito el diseño (tabla 5): caballo, gato, león, gran pez marino y un mono con cara de mal genio. Tengo mis razones para pensar que el número definitivo de llaves sea once: cuatro para la complicada cerradura de la torre y siete para las restantes del pueblo. La forma de dichas llaves, sin embargo, me resulta desconocida.» Espera... espera... –murmuró Jason, interrumpiendo la lectura. Cogió una hoja y copió los nombres de las llaves indicadas por Raymond Moore, junto con los de las llaves que ya conocía. La lista era:

Caballo
Gato
León
Gran pez marino (¿ballena?)
Aligátor
Bisbita
Rana
Erizo

–Ocho llaves. Faltan tres.

–Y cuatro puertas –añadió Julia–. Además de la de Villa Argo, la de miss Biggles, la de la Casa de los Espejos y la de la pastelería Chubber.

–Raymond dice que una puerta está en el faro...

–Exacto.

–En cambio, los demás lugares son más difíciles de identificar... ¿A qué corresponde la casa de un pescador o la granja Beamish?

–Podemos preguntarle a Rick –sugirió Julia. Jason estaba pensativo–. Las puertas están todas marcadas en el mapa que Oblivia nos robó –dijo poco después.

–Y que *alguien* había escondido en el Antiguo Egipto para que estuviera en seguro.

–Exactamente igual que alguien ha escondido en alguna otra parte todas las llaves.

–¿Black Vulcano?

–Sí –dijo Jason, pasando la página del libro–. El maestro de las llaves.

El artículo de Raymond Moore terminaba algo después con prolijas consideraciones sobre las llaves y sobre el porqué de las distintas formas de animales. Después de esto, en la última página, aparecía una ilustración que dejó a los gemelos con la boca abierta.

La Primera Llave.

Era idéntica a las que ya tenían los chicos, a excepción del animal de la empuñadura: tres tortugas.

–¡Las tortugas! ¡Claro! ?¿Cómo no hemos caído antes? –exclamó entonces Jason.

Al pie de la ilustración, Raymond Moore comentaba: «Un estudio pormenorizado de la forma de las cerraduras y de las puertas me induce a pensar que sean obra de un único artífice, o de un grupo de admirables artesanos que realizaron estas joyas mecánicas inspirándose en un solo proyecto inicial, después modelado individualmente para hacer que cada llave fuera única. Nadie en el pueblo conoce la identidad de estos constructores, ni si es una sola persona, un grupo o un pueblo entero de antiguos cinceladores con unos conocimientos y una maestría irrepetibles. Pero tengo razones para pensar que el único diseño que ha servido de base para forjar todas las llaves corresponde al que facilito como ilustración de estas notas conclusivas: lo llamo la Primera Llave, la llave capaz de abrir y cerrar las ocho puertas de las que he hablado hasta ahora. Presenta –o presentaría, porque de su existencia no estoy en absoluto seguro–, forma y dimensiones idénticas a las otras llaves, y como empuñadura tres tortugas. Son estas, de hecho, la firma, la huella y la señal de reconocimiento de los constructores de puertas: tres tortugas, animales pacíficos y sabios, capaces de vivir en la tierra y en el mar, exploradores de larga vida. A ustedes, queridos lectores, corresponde la tarea de interpretar ulteriores simbologías».

–Las tres tortugas son el símbolo de los constructores de puertas –repitió Jason.

–Están en la gruta situada bajo el acantilado –dijo Julia.

–Y están esculpidas en Turtle Park, el «parque de las tortugas», que no se llama así por casualidad.

–Y no es tampoco una casualidad que quien ha proyectado el parque sea Raymond Moore.

Los gemelos permanecieron en silencio unos instantes, conscientes del descubrimiento sensacional que acababan de hacer.

–¿Tú crees que las puertas han sido construidas por alguien de la familia Moore? –preguntó Julia al cabo de un rato.

Jason movió la cabeza.

–No. No creo. O mejor dicho, no lo sé.

Sus ojos estaban aún hechizados por el boceto de la Primera Llave y por la empuñadura de las tres tortugas.

En ese momento oyeron los pasos de su madre.

Jason cerró el libro y dijo con tono resuelto:

–Tenemos que hacer algo.

–¿Por dónde empezamos?

–Tenemos que encontrar esa llave. Lo que significa que tenemos que encontrar a Black Vulcano.

–¿Y cómo? –Antes de nada, vamos a hablar con Nestor.

Peter Dedalus
Cuaderno:
QUINTO
Título:
IDA Y VUELTA
AL POLO
Proyectista:
PETER DEDALUS
Capítulo:
11
MARCO POLO
EL MILLÓN

La góndola mecánica de Peter Dedalus se deslizaba lenta por los canales, moviéndose aparentemente sin el auxilio de remos, pértigas o motores. En realidad, el relojero de Kilmore Cove había montado en el casco negro de la embarcación un simple mecanismo a pedales, que le permitía pilotarla permaneciendo cómodamente sentado en la popa.

La barca se deslizó contracorriente por el Canal Grande para después doblar hacia Rialto, donde la niebla colgaba aún sus pliegues como hamacas grises en los canalones.

–Venecia es maravillosa por la mañana, ¿no crees?

Oblivia emitió un monosílabo nada entusiasta. Estaba sentada nerviosamente en la proa, insensible al hechizo de aquella ciudad húmeda y enmohecida.

–¿Cuánto piensas tardar todavía? –preguntó, al pasar por debajo del enésimo puente que le hizo agachar la cabeza.

Al cruzarlo, Peter aminoró la marcha de la góndola y mostró a la neurótica mujer una incisión grabada bajo el ojo del puente, invisible para quien no viniera por el agua.

–Ciertas cosas se descubren solo si se observan desde la perspectiva justa –comentó con indulgencia.

–Te pido, por favor, que me ahorres tu filosofía barata de gondolero –gruñó ella–. Y que vayas al meollo de la cuestión.

–¿El meollo de la cuestión, Oblivia? El meollo es que sin la llave justa, no puedes abrir la puerta justa.

–¿A mí me lo dices? –respondió la mujer con tono sarcástico–. He tardado años en descubrir cómo usar la llave del gato. Y lo he conseguido solo de chiripa.

–Admite que has tenido mucha suerte. Tú misma me dijiste que te llevó derechita al mapa con las ocho puertas del pueblo.

–No exactamente «derechita»... –recordó Oblivia, conteniendo un escalofrío al pensar en el dueño de la tienda de los mapas olvidados y su atroz cocodrilo.

–Entonces sabrás que una de las Puertas del Tiempo se encuentra en Villa Argo.

–¡Si tienes intención de seguir tomándome el pelo, Peter, avísame y me bajo inmediatamente de este armatoste!

Por toda respuesta, el relojero empezó a pedalear más fuerte para adelantar a un gondolero.

Oblivia prosiguió:

–Hace años que intento comprar esa casa. Primero, su propietario y, después, su absurdo jardinero me lo han impedido.

–Y el motivo es fácil de adivinar –observó Peter. Después permaneció callado un largo rato, sopesando atentamente qué decir y qué no–. Porque la de Villa Argo no es una... simple Puerta del Tiempo. Es la más antigua. –Dijo la última frase sin respirar, como quitándose un gigantesco peso de encima. Y después añadió de un tirón, antes de cambiar de idea–: Es la única puerta que se abre con cuatro llaves en lugar de una y es la única que puede llevar siempre a un destino diferente.

–¿Y cómo?

–Gracias a un mecanismo escenográfico ideado por Raymond Moore y después perfeccionado con una nave por su sobrino William, que era un genio del teatro y los decorados.

Oblivia prestó atención de repente.

–¿De qué nave estás hablando?

–Villa Argo está llena de sorpresas. Y han vivido en ella generaciones y generaciones de personas originales con una desmedida afición por los pasadizos secretos.

–¡Adoro los pasadizos secretos!

–A quién se lo vas a decir… –Peter pareció sumirse en recuerdos melancólicos, de los que emergió poco después con una confianza inesperada–: En la biblioteca, por ejemplo, basta con girar las placas de bronce que están sobre las estanterías de los libros de historia para encontrar uno. –Inmediatamente se detuvo de golpe, arrepentida de su enésima confesión–. Pero no lleva a ninguna parte –le quitó importancia–. No es más que un juego. Los verdaderos pasadizos secretos son otros…

–¿Otros, Peter?

–Claro. Bajo la casa se extiende una red prácticamente interminable de cunículos que conducen a una enorme gruta. Además… –Peter esta vez se tomó su tiempo, y después prosiguió–: En la gruta hay una nave… y más allá de la nave se abre una segunda puerta, que conduce a cualquiera de los otros lugares a los que puedes llegar… si pasas a través de las otras Puertas del Tiempo distribuidas por el pueblo.

Al oír las palabras de Peter, los ojos de Oblivia brillaron.

–¡Ahora lo entiendo! Así es como han conseguido esos mocosos ir a Egipto… y también llegar aquí a Venecia. ¡La puerta de Villa Argo controla todas las demás!

–¿De qué mocosos estás hablando? –preguntó Peter.

–Olvídalo –dijo Oblivia con tono tajante. Después prosiguió–: Entonces los chicos tienen las cuatro llaves…

–¿De qué chicos estás hablando?

Con aire despectivo, Oblivia le contó brevemente lo poco que sabía de la venta de la casa y de los gemelos Covenant.

–Pero… –se preguntó al acabar–. ¿Black Vulcano no tendría que haberse llevado también las cuatro llaves de Villa Argo?

–De hecho, sí –respondió Peter–. Pero no sé nada más porque escapé antes que él.

En la mente de Oblivia empezó a acumularse un pensamiento tras otro. Si la puerta de Villa Argo podía conducir a todos y cada uno de los lugares a los que se podía llegar a través de las otras puertas, entonces...

–¡Sabía que tenía que comprar esa casa! –casi gritó.

–Así que si quieres seguir a Black... –terminó Peter con un hilo de voz–, la única posibilidad que tienes es usar la Puerta del Tiempo de Villa Argo.

–¿Para ir adónde? ¿Tú sabes adónde huyó?

–La llave del caballo abre la puerta del caballo –respondió Peter Dedalus–. Y esa puerta lleva a un jardín mágico...

–¿Qué quieres decir?

–Mira... –dijo el relojero.

La góndola mecánica se había adentrado en un canal bastante angosto y se había acercado a una casa de aspecto anónimo, con un gran patio interior.

–¿Está allí dentro? –preguntó Oblivia.

–Oh, no... –se mofó Peter–. Esa es la casa donde nació Marco Polo. En realidad no se sabe con certeza si la casa es exactamente esta, pero a los venecianos les gusta pensar que es así.

–¿Y qué tiene que ver ahora Marco Polo con el jardín?

–Tiene que ver, sí..., porque fue precisamente Marco Polo quien habló de la existencia de ese jardín maravilloso y lleno de riquezas, donde corrían ríos de esmeraldas y llovía oro...

–Interesante –murmuró Oblivia.

–Un jardín grande como un reino, perdido en algún lugar de Oriente, o quizá en Etiopía, ¿quién sabe? Nadie lo ha visitado nunca, ni siquiera Marco Polo, que en su libro de memorias, *El millón* o *Libro de las maravillas*, refiere solo los rumores que oyó.

–Hay un solo millón que me interesa. Y es de esterlinas –replicó Oblivia–. Pero sigue.

–He acabado. Creo que Black Vulcano fue allí a esconder las llaves de Kilmore Cove. Y si quieres encontrarlas, tu única posibilidad es entrar en Villa Argo.

Al pasar por delante de una hilera de libros, Calypso casi gritó. No se esperaba que en la tienda hubiera alguien. No había oído ningún ruido, ni siquiera la campanilla situada encima de la puerta de entrada, y estaba convencida de estar a solas.

Dio un paso hacia atrás y se llevó una mano al corazón, como para evitar que le saltara fuera de las costillas. Luego se apoyó en la pared y, tranquilizándose mucho más lentamente de lo que se había asustado, dijo:

–Llamar antes de entrar no, ¿eh?

La persona que estaba ante ella sonrió. Una sonrisa irónica, dura. Se rascó el parche del ojo e intentó torpemente disculparse.

–Perdona. A fuerza de vivir solo, me he olvidado de los buenos modales.

Calypso volvió a lanzarle una mirada displicente y pasó a su lado, intentando acordarse de lo que tenía que hacer.

–¿Qué quieres, Leonard? –preguntó sin rodeos–. Te he visto más en la librería estos últimos días que en todo el año.

–Nos han descubierto –dijo él.

–¿Quién nos ha descubierto? ¿Y descubierto qué?

–Los chicos. Los gemelos de Londres.

–Me alegro.

–Yo no.

Calypso lo miró de arriba abajo.

–No habrás venido hasta aquí para decirme eso.Y, además, estás poniendo todo el suelo perdido de barro.

El rostro de Leonard Minaxo se iluminó de repente.

–Me he puesto de nuevo al volante de la excavadora. Como en los viejos tiempos.

Ella sacudió la cabeza, mientras la rabia se adueñaba de su cara menuda.

–¡No me digas que habéis vuelto a empezar!

–Pues sí.

–¿En qué carretera?

– En la que va a Londres.

–¡Vaya, Leonard! ¡Qué bien! –exclamó la mujer–. ¿Estamos otra vez aislados del resto del mundo?

–Por unos días, sí –admitió el farero, mirándose las robustas manos–.Ya sabes cómo funciona... un par de árboles talados, unos cuantos baches bien hechos...

Calypso eligió de entre las últimas novelas que acababan de llegar una histórica de suspense ambientada en la Segunda Guerra Mundial y la colocó en el centro del escaparate.

–Entonces tendremos que llamar al hermano de Fred Duermevela para que vaya a arreglar la carretera.

–Ya lo he hecho. He avisado a Fred.

–Leonard, ¿se puede saber por qué habéis vuelto a empezar con esta locura? ¿O quizá tendría que decir has vuelto a empezar? Ha sido todo obra tuya, ¿verdad?

–No, Calypso, escúchame... Los chicos se parecen a nosotros a su edad. No son nada tontos.

–Te lo diré cuando me devuelvan los libros que les aconsejé.

–No existen solo los libros.

–Ah ¿no? ¿Y qué existe, entonces? ¿Naves sumergidas, botellas de buceo e inmersiones?

–Han despertado en mí las ganas de... volver a empezar –admitió Leonard Minaxo–. He visto de nuevo la cabellera pelirroja del joven Banner, las llaves y Venecia...

–¿Has viajado?

–Sí. He vuelto a viajar. Y he comprendido que no había estado nunca tan cerca de descubrir la verdad.

–Llevas repitiéndolo desde hace años.

–Los otros se han rendido. Pero yo no, Calypso. Yo creo saber lo que ha pasado. Yo sigo.

–Lo tuyo es una obsesión, Leonard.

–Estoy cerca, te estoy diciendo.

–Y yo, sin embargo, te digo que no estás cerca en absoluto. ¡Mejor harías en ir a asearte un poco!

Minaxo permaneció inmóvil en el centro de la librería, hasta que su minúscula propietaria acabó por poner las manos en jarras con aire irritado y preguntó:

–Leonard, ¿por qué has venido?

Él cambió alternativamente el peso de una pierna a otra, antes de decidirse a responder:

–Quería saludarte.

–Leonard... no –murmuró entonces Calypso en un susurro que resumía miles de apremiantes preocupaciones.

–Vuelvo a la mar. Vuelvo a la búsqueda –concluyó el farero, dándose la vuelta de golpe.

Y esta vez la campanilla de la puerta sonó enloquecida.

Peter Dedalus
Cuaderno:
QUINTO
Título:
EL HUÉSPED
Proyectista:
Capítulo:
12
ADDRESS BOOK

Nada más llamar Julia, Rick se despidió de su madre, salió de casa, ató el viejo reloj de su padre al manillar de la bicicleta y empezó a trepar por la cuesta de Salton Cliff. Mientras pedaleaba con fuerza ya saboreaba anticipadamente la tarde que le esperaba: le había pedido a su madre que le dijera lo que sabía de Leonard Minaxo y Black Vulcano y no veía la hora de contárselo a Jason y Julia. No porque fuera una información particularmente valiosa: Leonard había sido siempre una especie de lobo de mar, taciturno y de pocas palabras. No se sabía prácticamente nada de su familia, ni por qué era él quien se ocupaba del faro. En el pueblo eran pocos los que tenían confianza con él y el padre de Rick había sido uno de ellos. En cuanto a Black, era otro perfecto ejemplo de hombre solitario: el último jefe de estación de Kilmore Cove, había vivido durante años encima de la estación y, cuando cerraron el ferrocarril, se marchó del pueblo. Eso era todo. Pero, según la visión optimista de Rick, ya era algo.

Cuando llegó a la primera curva, Rick apretó el paso. Tras tres días frenéticos de exploraciones, persecuciones e incendios, se sentía perfectamente en forma. Y advertía algo en el aire que no tenía nada que ver con el caprichoso tiempo atmosférico de Cornualles, ni con el viento salobre que soplaba incesantemente. Era como si alguien, invisible, estuviera montado en la misma bicicleta y pedaleara junto a él. Alguien que le daba fuerza, seguridad y tranquilidad. Que le indicaba el camino para crecer. Y que se ocupaba no solo de él, sino también de su madre.

Una vez traspasada la gran verja de entrada de Villa Argo, Rick dejó la bicicleta apoyada cerca de la puerta de la cocina.

Llamó a Jason y después a Julia, intentando disimular el imperceptible temblor de voz que sintió al pronunciar su nombre. El temblor era fácil de explicar: Rick no había besado nunca antes a una chica.

Y por mucho que hubiera sido un beso robado, fugaz y veloz, la escena entera, hasta que Julia abrió los ojos, estaba indeleblemente grabada en su memoria.

–¡Buenos días! –lo saludó la señora Covenant, asomando de golpe por una de las muchas puertas de Villa Argo. Era delgada y tenía el pelo despeinado.

Rick la saludó atentamente y le preguntó por los chicos. Supo así que acababan de bajar a la playa con Nestor, que había aceptado acompañarlos.

Al saber que no lo habían esperado, Rick se sintió dolido y notó una punzada de disgusto, o quizá de envidia. Pero al fin y al cabo Villa Argo no era su casa. Ni tampoco las escalerillas de piedra ni la playa privada que se abría como un pequeño abanico de arena blanca entre dos lenguas de roca. Aunque Nestor lo había nombrado Caballero de Kilmore Cove con Jason y Julia, Rick seguía siendo un extraño allí.

Un extraño que amaba esa casa más de lo que los dos gemelos Covenant podían imaginar.

La madre de Jason y Julia esperó a que el chico pelirrojo desapareciera por las escalerillas; después, con una sonrisa volvió a casa. «Buen chico», pensó, mientras recorría el pasillo del piso de abajo. Al pasar antre el gran espejo dorado de la izquierda, se paró de golpe y permaneció inmóvil unos instantes, mirándose.

–Madre mía… –exclamó al verse las greñas, los ojos ribeteados por el cansancio y la piel tirante como un vestido viejo. Intentó atusarse un poco, pero la respuesta del espejo fue despiadada–. He aquí el resultado de tanta mudanza…

Retrocedió rápidamente y fue al teléfono. Marcó de memoria el número de su marido y esperó inútilmente a que el teléfono diera línea. Imaginó a su marido en compañía del arquitecto por alguna callejuela perdida, en busca del camión con sus muebles y, a su pesar, sonrió. Quizá, se dijo, era mejor hacer las cosas con calma, olvidarse de la frenética eficiencia londinense y dejarse llevar por el ritmo más lento de la provincia. Era necesario entrar en tranquila sintonía con el pueblo, conocer a alguien… Y adaptarse a lo que había, más que intentar adaptarlo a ellos. Pero ¿por dónde comenzar?

Su instinto femenino le ofreció una rápida respuesta. Buscó con expresión astuta en los cajones cercanos una agenda de teléfonos o algo parecido.

Encontró una vieja libreta con la pasta color amarillo canario, en la que destacaba un paisaje pintado a acuarela. La abrió y descubrió una serie de nombres con sus correspondientes números de teléfono minuciosamente transcritos por una mano exquisitamente femenina.

«Debe de ser la agenda de teléfonos de la anterior dueña de la casa», pensó la señora Covenant, un poco avergonzada.

La caligrafía de Penelope Moore le resultaba extrañamente familiar y, al ver la precisión con la que los números habían sido anotados, le entraron ganas de hojearla.

La señora Covenant sonrió cuando encontró lo que, de manera instintiva, estaba buscando.

Peluquera: Gwendaline Mainoff, Peinados de Gran Clase (los martes va a domicilio).

Reinaba un hermoso silencio de árboles alrededor de la casa. La señora Covenant miró a su alrededor; después, marcó el número y esperó.

El teléfono sonó tres veces y Gwendaline contestó.

Vistas desde el mar, las escalerillas del acantilado de Salton Cliff no eran más que una cicatriz en la roca. Descendían empinadas, con giros imprevistos y con los peldaños mojados por el mar.

Rick las afrontó casi corriendo, sin pensar en el accidente de Jason de unos días antes. El sol resplandecía blanco y despiadado en el centro del cielo, que parecía una tela ribeteada de nubes. Las gaviotas permanecían suspendidas, inmóviles con sus alas abiertas, como sostenidas por hilos invisibles. Rick oyó el eco de una voz que procedía de abajo y se asomó para mirar: reconoció la cabeza cana de Nestor junto a los dos Covenant. Siguió bajando muy concentrado y, unos minutos después, llegó hasta la playa.

–¡Rick! –lo saludó Jason en primer lugar–. Precisamente estábamos hablando de ti.

–¿En serio? –sonrió él–. Hola, Nestor. Hola, Julia. –Evitó aposta cruzar la mirada con la chica–. ¿Y por qué?

–¿Sabes remar?

Jason y Julia le habían hecho a Nestor un resumen de lo que había pasado en Venecia y, cuando llegó Rick, les contaron a los dos lo que habían descubierto sobre el número de Puertas del Tiempo y sus correspondientes llaves.

Rick escuchó con la boca abierta.

–¿Siete Puertas del Tiempo en Kilmore Cove? –repitió, contando con los dedos las que habían descubierto ya–. Y las otras, ¿dónde están?

Los gemelos les enseñaron la lista de lugares que habían copiado del *Manual del escapista* y les resumieron todo lo que habían leído en el artículo.

–Pero ¡es fantástico! –exclamó Rick–. Esto explica finalmente por qué Ulysses Moore y sus amigos han hecho de todo para proteger el pueblo de miradas indiscretas. ¡Ahora tenemos que encontrarlas!

–El hecho es que... –explicó Jason, indicando la cima del acantilado– con nuestra madre de guardia en casa tenemos pocas posibilidades de bajar al pueblo con las bicicletas.

–Entiendo –dijo Rick–. Y entonces, ¿por dónde empezamos?

Los gemelos miraron al viejo jardinero, que refunfuñó algo.

–Antes de que tú llegaras estábamos contándole a Nestor lo del incendio y que Peter podría haber muerto bajo los escombros.

–Sí –asintió Rick sombríamente–. ¡Pero si es por eso podría haber muerto también Oblivia!

Nestor movió la cabeza.

–No creo...

–Hay solo una manera de saberlo –dijo Julia–. Ir a la Casa de los Espejos para ver si ha vuelto, o si sigue en Venecia.

–O podemos ir a buscar las llaves que ha escondido Black Vulcano –añadió Jason.

Al oír ese nombre, Rick les confió lo poco que había descubierto sobre el viejo maquinista. Después los tres amigos esperaron a que Nestor añadiera algo.

–No sé exactamente dónde se llevó las llaves –comentó el jardinero–. El pacto que hizo con los otros fue precisamente el de no revelar qué era lo que iba a hacer con ellas, de manera que las llaves estuvieran completamente seguras. Black Vulcano era un viejo amigo de Ulysses Moore: era un artesano, y sentía auténtica pasión por todo aquello que fuera... fuego. No importaba para qué. Podía ser el fuego del horno para cocer el pan o las vasijas que fabricaba o el fuego para fraguar el metal... Si había llamas por medio, él era el número uno.

–¿Y vivía solo?

–Oh, sí. Decía siempre que prefería vivir solo, con sus cosas y a su ritmo, y sostenía que el matrimonio era solo una pérdida de tiempo. Cuando entraba una mujer en su campo visual, sin embargo, Black se transformaba en un auténtico adulador. La delicadeza no era una de sus mejores armas, pero... a las mujeres les resultaba atractivo. Sabía hacer cumplidos muy acertados. Y a las mujeres les gustaba.

Julia hizo una mueca de desagrado.

–¡Puaj... pero si era bajo y rechoncho!

–Creedme. Tenía tanta labia, que ellas ni se fijaban. No les importaba ni siquiera el hecho de que se pasara más de la mitad de los días embadurnado de aceite y grasa para motores. Black las conquistaba solo por el placer de conquistarlas...

aunque se cuenta que una vez rompió el corazón de una de sus pretendientes.

–¿De quién?

Nestor refunfuñó algo en voz baja, antes de decidirse a continuar:

–No me gustan este tipo de conversaciones, pero... se dice que la hermana de miss Biggles, Clitennestra, se fue de Kilmore Cove por su culpa. Eran excelentes amigos. Clio tenía unos años más, pero... –El jardinero movió la cabeza–. ¿Qué queréis? Son cosas que pasan. De todas formas, no creo que la vida privada de Black Vulcano os pueda ayudar a encontrarlo. Lo que tenéis que saber es que se le daba muy bien hablar y hacer cosas con esas gigantescas manazas suyas. La estatua de la pescadora que está en la veranda de Villa Argo la hizo él.

–De hecho, es una mujer –bromeó Jason.

–Pues sí –mascullό Nestor perplejo–. Y fue también él quien reparó la verja de entrada de la casa cuando se rompió.

–¿Y cuándo se rompió?

–Oh, hace casi treinta años. Más o menos cuando yo comencé a ocuparme del jardín. –Nestor fijó la mirada en un punto del horizonte por el que las nubes pasaban rápidamente y continuó–: Cuando el anterior propietario decidió venir a vivir aquí con Penelope, la villa no estaba en buenas condiciones, al contrario. Se encontraba en un estado de visible abandono. El aire se colaba en la casa por todas las rendijas y buena parte de los muebles eran inutilizables.

–Pero... ¿los Moore no han vivido siempre aquí?

–No, no siempre –respondió Nestor–. La casa estuvo deshabitada durante unos años.

–¿El padre de Ulysses no vivió aquí? –preguntó Julia, que sin embargo recordaba el penúltimo cuadro de la escalera, el que estaba justo antes del retrato que faltaba, el retrato de Ulysses Moore.

–No, no siempre. Pero le gustaba este lugar, y si no se vino a vivir aquí no fue por su culpa.

–Pues, entonces, ¿por culpa de quién?

–Del abuelo.

–¿El tipo ese vestido de soldado? –recordó Julia.

–El mismo. El padre de Ulysses no era un Moore, ¿sabéis? Pertenecía a otra familia y se casó con Annabelle Moore, hija de Mercury Malcom Moore. El abuelo no se perdonó nunca haber tenido solo una hija, porque creía que la dinastía de los Moore se extinguiría.

–¡Siempre he sido de la opinión de que somos mejores los chicos! –rió Jason.

–Estúpido –replicó su hermana.

–Consiguieron ponerse de acuerdo para que el hijo de Annabelle conservase el apellido del abuelo, pero de todas formas las cosas no fueron bien. Habían proyectado venir a vivir aquí, pero Annabelle murió de parto cuando dio a luz al pequeño Ulysses.

–¡Oh! –exclamaron los chicos–. Entonces Ulysses no tenía madre.

–Y no solo eso: el viejo Mercury pensó siempre que su amada hija había muerto por culpa de ese matrimonio. Se volvió intolerante tanto con el padre de Ulysses como con el niño. Odiaba a ese hombre que juzgaba débil y soñador y detestaba a ese niño con un nombre tan importante.

–¿Cómo sabes todas esas cosas? –preguntó Julia, impresionada por la historia.

Nestor se encogió de hombros.

–Han pasado años. Y aunque eran temas de los que no se solía hablar, de vez en cuando salían a relucir. Cada vez que se tenía que arreglar algo en la casa, se decía que el viejo había dejado que se cayera a pedazos. Y que consideraba Kilmore Cove un lugar fuera del mundo, habitado solo por rudos pescadores.

–Por suerte, las cosas han cambiado.

Nestor metió las manos en la arena.

–Pues sí. Y vinieron a vivir aquí los dos últimos Moore.

–Pero ahora es la era de los Covenant –dijo Jason, sin pensar–. Y de los Banner. ¡Somos los nuevos Caballeros de Kilmore Cove!

El mar recortaba las olas sobre la playa, en un imperceptible inicio de la marea baja.

Rick preguntó:

–Pero ¿por qué me habéis preguntado si sabía remar?

Julia le indicó los escollos que protegían la caleta.

–Porque ni Jason ni yo sabemos.

El chico pelirrojo le dirigió una mirada curiosa y ella prosiguió:

–Nestor nos ha dicho que pasados los escollos hay una pequeña barca de remos. Pensábamos usarla para llegar al pueblo.

Rick puso los ojos como platos, preocupado ante la idea de afrontar las corrientes cerca de las rocas. –¿Queréis llegar a Kilmore Cove en barca?

–Exacto. ¿Tú sabes remar?

–Si no, os llevo yo –se entrometió Nestor–. Siempre que nos demos prisa. Tengo que volver al jardín antes de que vuestra madre se dé cuenta.

–¿Y qué le vas a contar?

–Lo de siempre –respondió Nestor–. Que no me corresponde a mí controlaros. Y que si habéis ido al pueblo por mar, pues que por lo que yo sé habréis ido nadando.

Julia miraba a Rick, que a su vez miraba el mar espumoso.

–¿Entonces?

Conocía muchas historias de embarcaciones que habían naufragado al chocar contra los escollos. De olas que lanzaban las barcas contra las rocas. De rocas aguzadas a flor de agua en las que tripulaciones inexpertas hacían encallar las quillas.

–Claro que sé remar –respondió el chico pelirrojo.

Nestor les abrió camino. Cojeando ágilmente sobre las piedras húmedas, llegó a un escollo situado junto al acantilado. Pasó a su lado por un estrecho sendero y lo bordeó, agarrándose a la roca con las manos.

El escollo formaba una especie de cobertizo y, bajo el abrazo protector de la piedra, invisible para cualquiera que no fuera allí buscándola, reposaba una pequeña barca de remos.

–Ayudadme a sacarla de aquí… –masculló el jardinero, explicando a los chicos que lo primero que tenían que hacer era quitar la lona que la protegía de la humedad.

En pocos minutos colocaron la barca en la arena, lista para adentrarse en el mar.

Rick sopesó los remos y los enfiló en los escalmos.

–¿Entonces?

–Ningún problema.

Jason, mientras tanto, miraba fijamente el nombre descolorido que se entreveía en la proa de la embarcación: *Annabelle.*

–Tenéis que estar de vuelta dentro de dos o tres horas como mucho –ordenó Nestor, no sin antes ayudar a los chicos a empujar al mar la barca.

Jason y Julia, con el agua por las rodillas, intentaban sujetarla para que no se moviera, mientras el mar alzaba continuamente la proa.

–Pero ¡no conseguiremos hacer todo en tres horas! –protestó Jason–. Tenemos que encontrar cinco Puertas del Tiempo, descubrir dónde ha escondido Black Vulcano las llaves, averiguar si Oblivia ha vuelto de Venecia e ir al faro.

–¿Por qué al faro? –preguntó Rick, que, ante la mirada fulminante de Julia, decidió que lo mejor era callarse.

–Entonces elegid –cortó tajante Nestor, haciendo caso omiso del cruce de miradas.

–Empezaremos por las llaves –decidió Jason por todos. Se quitó la camiseta para que no se le mojara y la arrojó sobre la barca. Después le dio un último empujón e invitó a los otros a subir a bordo.

Rick empuñó los remos y, tras el esfuerzo inicial, consiguió poner proa mar adentro.

Nestor se quedó en la orilla mirándolos hasta que los vio doblar el cabo.

Después susurró:

–¿Dónde están las llaves, eh, Black?

En el faro, Leonard Minaxo abrevó la yegua. Después subió nuevamente la escalera de caracol, con los ojos fijos en los peldaños. Llegó hasta el estudio que se había construido en la habitación que quedaba justo debajo del faro y controló que el sistema de encendido automático estuviera fijado correctamente. Luego se concentró en las cartas de navegación.

En la de la bahía de Kilmore Cove había algunas hojas de papel de seda llenas de anotaciones y cálculos de ruta. Las volvió a leer rápidamente.

Después dio la vuelta en torno a la mesa, abrió uno de los cientos de libros con historias de náufragos que había coleccionado a lo largo de su vida y buscó un dato que le parecía útil.

Volvió al mapa, escribió una X más, y con el dedo trazó una ruta aproximada que, desde el promontorio del faro, llevaba a no más de dos millas mar adentro.

Miró el reloj. Si se daba prisa todavía podía hacer algo en lo que quedaba de día. Quizá solo un chapuzón y una rápida inspección y a lo mejor por una vez en la vida tenía un golpe de suerte.

–Estoy cerca... –farfulló satisfecho.

Volvió a poner en su sitio el libro sobre naufragios, enrolló la carta de navegación, se la puso bajo el brazo y descendió a toda velocidad por la escalera de caracol. Una vez abajo, cogió un par de botellas de buceo, su vieja máscara, las aletas y el traje de submarinista, y se lo cargó todo a la espalda.

Salió del faro, bajó hacia el mar y llegó hasta la embarcación a motor que tenía atracada en el muelle. Saltó a bordo y colgó las botellas en el gancho, arrojando al fondo de la barca el resto del equipo. Abrió la carta de navegación sobre la mesa, junto a la guía, soltó amarras, puso en marcha el motor y se dirigió hacia alta mar.

Se sentía invadido por una dicha desbordante.

–Esta vez no te escapas... –dijo, mientras la quilla de la barca batía rítmicamente contra la espalda del mar.

Había recorrido solo unos cuantos centenares de metros cuando vio algo moverse a la altura de Salton Cliff: una barquichuela a pocas brazas de las Sharp Heels, los dos farallones que sobresalían a los pies de Villa Argo.

–Que me parta un rayo si esa no es *Annabelle* –masculló Leonard Minaxo, disminuyendo las revoluciones de su lancha fueraborda–. Pero... ¿qué está haciendo ese viejo loco? ¿Ha decidido también él volver a salir a la mar?

Leonard rió burlonamente y, concentrándose en su misión, estudió la carta de navegación que llevaba consigo.

«Mar tranquilo y temperatura ideal», le decían el instinto y el barómetro.

–Un día espléndido para volver a bucear.

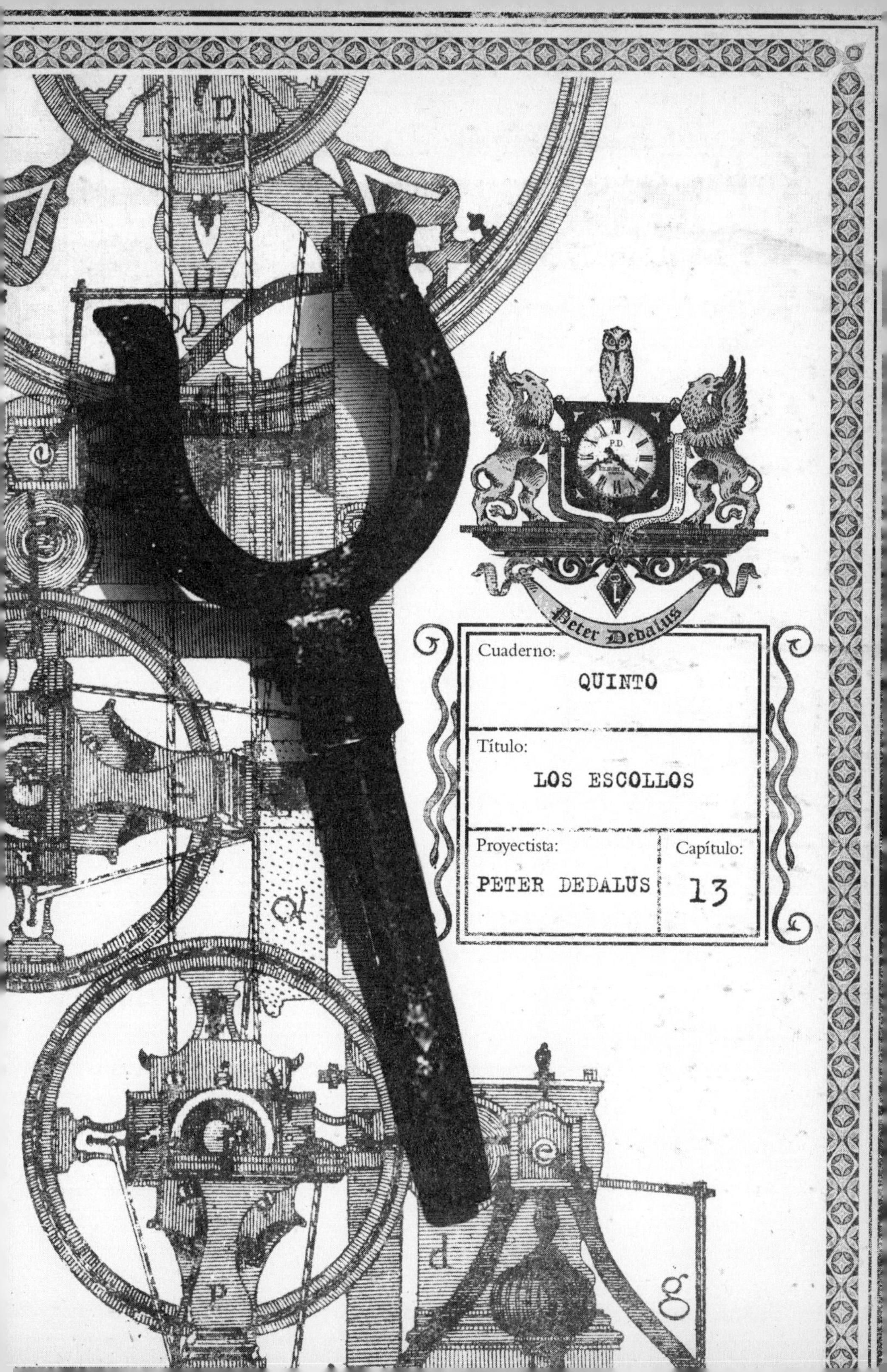
Peter Dedalus
Cuaderno:
QUINTO
Título:
LOS ESCOLLOS
Proyectista:
PETER DEDALUS
Capítulo:
13

La *Annabelle* había emprendido dulcemente su marcha, costeando todo el acantilado. Se había deslizado con facilidad sobre las olas, por delante de la pequeña cala, y ahora se estaba acercando a los «tacones de aguja», un par de escollos a flor de agua que marcaban la entrada de la bahía de Whales Call.

–Perdona por lo del faro... –dijo Julia a Rick, cuando la silueta del jardinero estuvo lo suficientemente lejos–, pero es que no queríamos hablar de nuestras sospechas con Nestor delante.

–¿Te refieres a la sospecha de que Leonard sea en realidad Ulysses Moore?

–Exactamente –respondió Jason–. Y no queríamos hacerlo porque, aunque sea verdad, Nestor nos habría mentido.

–A lo mejor está obligado a hacerlo... –dijo Rick soltando los remos y dejando que la barca cabeceara en la corriente.

–¿Y quién le obliga? –preguntó Julia.

–Leonard –respondió Jason–. A lo mejor quiere que siga siendo un secreto. Ha dejado Villa Argo fingiéndose muerto y se ha refugiado en el faro, donde nadie lo molesta.

–¿Y por qué tendría que haberlo hecho?

–Eso todavía no lo sabemos.

–Si es así, la hipótesis del fantasma de la casa se desmorona definitivamente.

–Yo no diría que se desmorona «definitivamente» –puntualizó Jason–. Queda solo «momentáneamente» descartada. ¿Quieres que te ayude a remar?

–Vale. Si somos dos, es menos cansado –asintió Rick, corriéndose un poco en el asiento.

Jason se levantó y, tambaleándose sobre la barca, fue a sentarse a su lado.

Rick le enseñó lo que tenía que hacer y le confió el remo derecho. Jason lo imitó lo mejor que pudo, pero la barca empezó a girar sobre sí misma como una peonza.

–¡Así no! –gritó Rick–. ¡Tienes que hundir el remo en el agua, empujar y después levantarlo!

–¡Basta, chicos! –gimió Julia–. ¡Me da vueltas la cabeza!

–Solo quería echar una mano…

–¡Pues vas a hacer que nos matemos!

–¿Por qué no pruebas tú entonces? –soltó Jason, levantándose de un salto del asiento.

Al hacerlo, golpeó el remo con la rodilla y por poco no lo hace volar por la borda. Con un par de zancadas que casi lo mandan al agua, llegó a popa, se sentó y se giró furioso hacia el acantilado. Descubrió entonces que Julia no estaba exagerando.

Las dos rocas estaban ya muy cerca, tan cerca que se podía oír cómo el mar, formando un pequeño remolino, se lanzaba contra ellas con un profundo rugido.

–¡Vamos a chocar! –repitió Julia, viendo el agua blanquecina que, entre una ola y otra, se deslizaba por encima de los escollos.

–Tranquila –le dijo Rick, aferrando ambos remos y empezando a bogar con fuerza en sentido contrario–. Está todo bajo control.

Las primeras tres paladas, sin embargo, no produjeron ningún resultado y tampoco las sucesivas, de modo que en el rostro de Rick empezó a reflejarse cierto pánico.

–¡Oh, porras! –exclamó después, moviendo los remos lo más rápidamente posible. Pero por cada palada que ganaba mar adentro, perdía tres en dirección a los escollos.

–¡Rick! ¡Vamos a chocar!

Las rocas estaban ya a menos de diez metros de la proa. La de la derecha se erguía alta e imponente como el campanario de una iglesia, con una gaviota haciendo de espectador en lo alto, mientras que la otra había sido dulcificada por las olas y sobresalía del agua como el caparazón de una tortuga. El mar se agitaba en torno a la barca con remolinos amenazadores.

Rick hizo un último esfuerzo para intentar poner rumbo hacia alta mar, pero era como si, después de la intervención de Jason, se hubieran metido en una corriente que los arrastraba inexorablemente hacia los escollos.

–Si no puedes luchar contra ellos… –decidió entonces el chico de Kilmore Cove, citando una de las frases de su padre–, únete a ellos.

Y dicho esto, soltó los remos y se dejó llevar por la corriente.

La barquichuela se lanzó hacia los dos escollos al doble de velocidad.

–¡Socorro! –gritó Julia cuando vio la proa alzarse como una catapulta.

Jason se limitó a quedarse mirando con la boca abierta.

Rick alzó hacia arriba los dos remos y contó hasta diez, luego contó dos más y, finalmente, hundió el remo izquierdo en la corriente con un golpe seco.

La *Annabelle* viró hacia alta mar, pasando a menos de veinte metros del escollo más alto. En ese momento Rick alzó un remo y sumergió el otro, repitiendo al revés la misma maniobra. La cresta de una ola levantó la barquichuela por encima de la segunda roca puntiaguda.

Los chicos oyeron rascar levemente el fondo. Luego la barca se lanzó fuera de la corriente y se deslizó más allá de los escollos.

Rick remaba ahora con la pericia de un verdadero lobo de mar. Tenía la frente perlada de sudor y las mangas de la camiseta enrolladas hasta los hombros.

–Caray… –murmuró Jason–. Ha faltado poco.

–Te he dicho que sabía remar, ¿no? –dijo Rick riendo.

Julia rompió a reír, respirando quizá por primera vez desde hacía algunos minutos.

–Pero a la vuelta damos un rodeo, ¿vale?

–Basta con que no dejes que tu hermano se mueva.

–Muy gracioso –replicó Jason, poniéndose a mirar el pueblo, cada vez más cercano.

Julia, sin embargo, miraba fijamente las rocas que surgían en medio del mar y el imponente acantilado. Recordó cuando Manfred se había caído rodando desde allí arriba y a duras penas consiguió contener un escalofrío.

Después vislumbró un extraño bulto encajado entre los matorrales y la pared del acantilado, justo bajo la carretera.

–¿Qué es eso? –preguntaron los tres chicos.

Rick se llevó la palma de la mano a la altura de los ojos, dejando que la corriente acercara la barca unos metros.

–Yo diría que es un coche –decidió al cabo de un rato.

–No es un coche –lo corrigió Jason–. Es un dune buggy. O por lo menos lo era.

–¿Y qué hace un dune buggy en el acantilado? –preguntó Julia.

–¿Quién sabe? A lo mejor han intentado tirarlo al mar y se ha quedado ahí encajado.

–¿Queréis que me acerque o…? –preguntó Rick, maniobrando la barca con un solo remo para hacer que girara en la dirección correcta.

–¡No, no! Al diablo el dune buggy. Vamos a Kilmore Cove, a la estación –dijo Jason.

Menos de diez minutos después estaban varando la barca. Siguiendo el consejo de Rick, la amarraron a la argolla de hierro y se dirigieron al Windy Inn.

Luego atravesaron la plaza con la estatua ecuestre de Guillermo V, un rey de Inglaterra que nunca existió, y volvieron a subir Pembley Road hasta llegar a las escaleras.

Más allá de las escaleras se extendía una amplia plaza invadida por las malas hierbas y cerrada en el lado opuesto por un edificio imponente: la antigua estación.

Era una enorme construcción de dos pisos, con un reloj parado encima de la cancela de entrada atrancada y de dos hileras de ventanas cerradas desde hacía años. El viento silbaba a su alrededor arrastrando polen y pequeños arbustos. Miles de semillas pegajosas se enganchaban a cada paso a los cordones de los zapatos de los chicos.

–Bienvenidos a la Clark Beamish Station… –dijo Rick, acompañando a los otros hasta el arco que tiempo antes daba acceso a la taquilla–. O dicho de otro modo, la estación abandonada de Kilmore Cove.

Los tres amigos se quedaron mirando hacia arriba durante largo rato. En el tejado de la estación había una gran claraboya con forma de cúpula sobre la cual se paseaban los cuervos.

–Espera... –dijo de repente Jason–. ¿Cómo la has llamado?

–Estación abandonada de Kilmore Cove.

Jason sacó del bolsillo una de sus hojitas de apuntes.

–¿Que se llama...?

–Clark Beamish Station –repitió Rick.

Jason apretó los puños en un gesto de satisfacción. Tachó una de las Puertas del Tiempo de su lista y exclamó:

–¡Y he aquí que hemos encontrado la vieja granja Beamish de la que hablaba el artículo del tatatarabuelo de Ulysses!

–Entonces, ¿eso quiere decir...?

–¡Que en esta estación hay una Puerta del Tiempo!

–¡Quién sabe si Black Vulcano vendía billetes también para ese tipo de viajes!

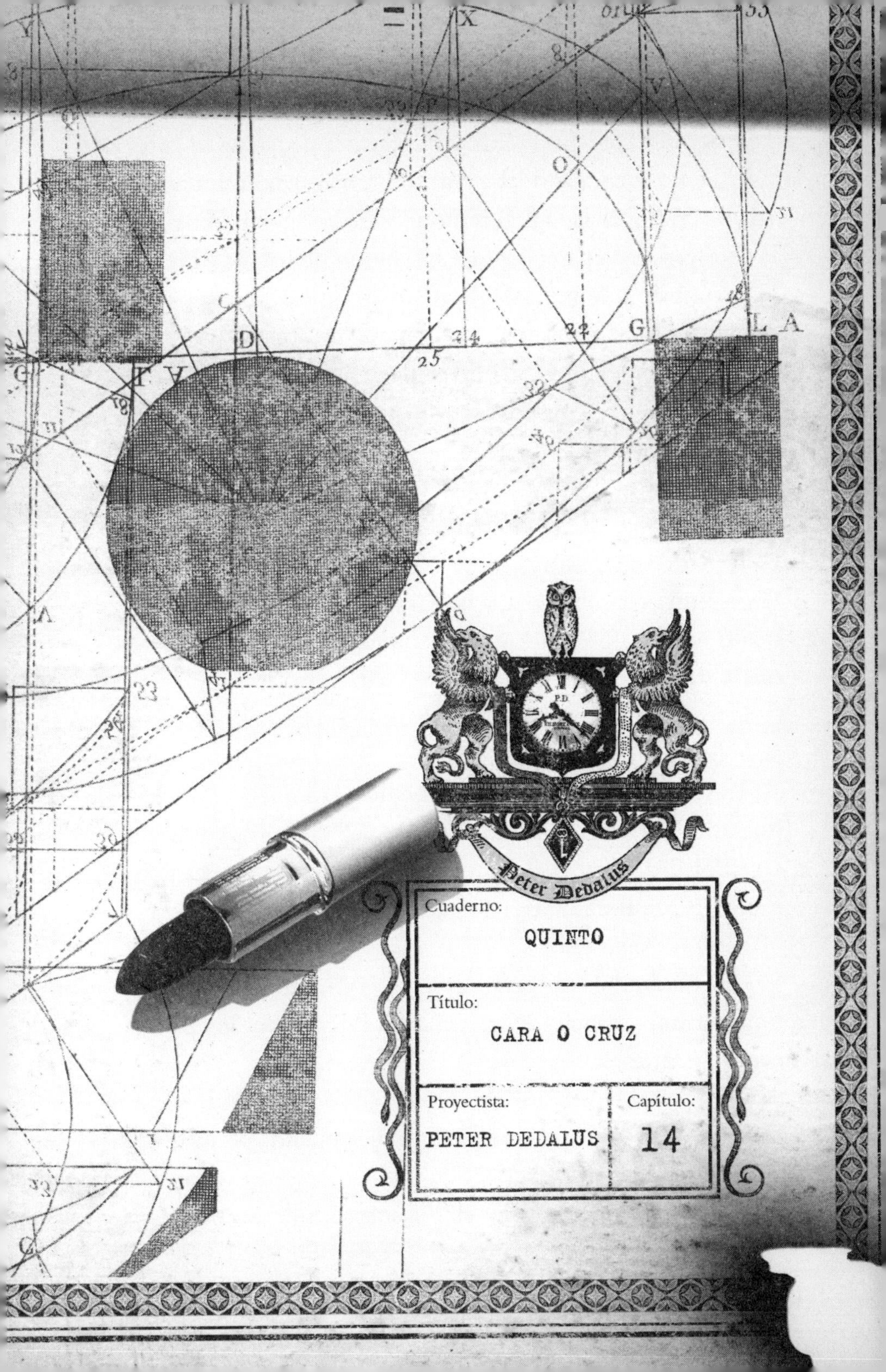
Peter Dedalus
Cuaderno:
QUINTO
Título:
CARA O CRUZ
Proyectista:
PETER DEDALUS
Capítulo:
14

Peter Dedalus condujo su trasto a pedales a lo largo de un intrincado laberinto de canales, deslizándose ligero sobre las aguas tranquilas de la laguna. Ninguno de los dos pasajeros parecía tener intención de hablar. Al relojero, más sombrío que nunca, le carcomían quién sabe qué remordimientos por lo que le había contado a Oblivia. Esta última, por su parte, se consumía de impaciencia y continuaba pensando de manera obsesiva en una sola cosa: Villa Argo. Villa Argo. Villa Argo.

El cansancio de las últimas horas se había transformado en el frenético deseo de regresar a Kilmore Cove lo antes posible y en un torrente de ideas sobre cómo conseguir entrar en Villa Argo. Entre ellas figuraba, y no en último lugar, la de asaltarla a mano armada. Siempre que Manfred supiera de verdad usar una pistola, como le había jurado cuando lo había contratado.

Pero Oblivia tenía que resolver antes la cuestión de la apuesta. Y librarse de Peter.

Tras el enésimo giro desorientador, la mujer reconoció el lugar del que habían salido. La calle dell'Amor degli Amici.

–¡Por fin! –exclamó exasperada–. Creía que no llegábamos nunca. ¿Qué hora es?

Peter miró su reloj.

–Es mediodía –dijo. Y explicó–: Ningún artilugio sigue funcionando después de traspasar las Puertas del Tiempo. Excepto los míos.

–Ah, ¿sí? ¿De verdad? –gruñó Oblivia–. Si lo hubiera sabido, habría cogido unos cuantos relojes cuando te puse el taller patas arriba.

–¿Conseguiste entrar en él? –susurró Peter asombrado.

–Pues sí –dijo la mujer con una sonrisa sardónica–. Aunque tuve que usar la entrada trasera… y derribar el muro.

El relojero se mordió los labios hasta hacerlos sangrar.

–¡Anímate, Peter! Si ganas la apuesta, podrás volver a tu querida tiendecita y colocar de nuevo todo en su sitio. A propósito, ¿dónde está la moneda?

Peter sacó la moneda del bolsillo.

–A la primera –dijo–. Yo elijo…

–Cruz –se le adelantó Oblivia, sorprendiéndolo y dejándolo con la boca abierta.

–No… –tartamudeó Peter–. Yo quería…

–Tú cara. Yo cruz. ¿Algún problema?

–Yo quería pedir cruz –insistió el hombrecillo, que empezaba a sudar–. Mejor dicho, yo me pido cruz.

Oblivia se puso de pie en la góndola, que empezó a balancearse, y se arrojó sobre Peter. Lo agarró por el traje y lo zarandeó diciendo:

–¡Qué casualidad, eh, Peter Genio Dedalus!

La moneda pasó a las manos de la mujer y rodó hasta el fondo de madera de la góndola. Sin ni siquiera mirarla, Oblivia dijo:

–¿Qué ha salido? ¿Cruz? Pero ¡qué casualidad!

–Oblivia, yo…

Ella recuperó la moneda del fondo de la barca y, sin quitarle a Peter los ojos de encima, la lanzó de nuevo.

–¿Y ahora? ¡Oh, fantástico! ¡De nuevo cruz! ¿No es extraño? ¿No será una moneda trucada? –Oblivia empujó a Peter a popa como si fuera un trasto y después añadió–: ¿De verdad pensabas engañarme usando una moneda trucada? ¿De verdad tu mente es tan retorcida? ¿Por qué me has desafiado con una apuesta tan ridícula?

–Pero ¿cómo has podido...?

–No hay que dejar nunca una moneda trucada en manos de un tramposo –rió Oblivia–. Antes, cuando me has propuesto la apuesta, la he lanzado varias veces al aire fingiendo que estaba sopesando tu idea. Siempre cruz. En cualquier caso... he ganado. Así que... ¡adiós!

La mujer se guardó la moneda en el bolsillo y luego apoyó las manos en el margen del canal para bajar de la góndola.

–¡No! –gritó entonces Peter, que en un arranque de valor intentó detenerla. Atravesó la góndola con un par de zancadas y se le enroscó en las piernas–. ¡No te dejaré ir!

–¡Peter! –chilló Oblivia–. ¿Qué haces?

Intentó liberarse, pero él la tenía agarrada con todas sus fuerzas.

La embarcación se balanceaba peligrosamente.

El tira y afloja duró un minuto largo. Después Oblivia, cuyo cuerpo enjuto estaba fortalecido por años de carísimos gimnasios, consiguió soltarse y plantarle a Peter un par de tremendas patadas en la mandíbula.

El relojero de Kilmore Cove se tambaleó hacia atrás, tropezó contra el borde de la góndola y voló hasta el agua sin soltar un solo gemido.

Oblivia contrajo los pectorales y, con un salto digno de su mejor entrenador personal, ganó el margen del canal.

–¿Ves para lo que sirve el pilates, Peter? –rió con sorna, alisándose la ropa mientras el otro jadeaba en las aguas oscuras–. ¡Hasta pronto!

Sin esperar respuesta, Oblivia se adentró primero en el callejón, después en la habitación oscura de la Puerta del Tiempo y, por último, atravesó la puerta.

Y la cerró tras de sí.

De nuevo estaba en Kilmore Cove.

–¿Manfred? –preguntó una vez allí–. ¿Manfred? ¿Me oyes?

Al no recibir respuesta, subió hacia las habitaciones polvorientas y vacías de la Casa de los Espejos.

–¿Dónde diablos te has metido, Manfred? –aulló Oblivia Newton, maldiciendo el hecho de que cada vez que volvía de un viaje ese gandul no estuviera nunca.

Se detuvo en medio de un vasto salón donde se abría el balcón del piso superior. Se sentía observada.

–¿Manfred? –volvió a preguntar, dándose la vuelta.

Pero no era su perro guardián. Eran los ojos líquidos y amarillos de una lechuza, encaramada encima de las escaleras. La miraban con silenciosa reprobación.

–¿Y tú qué quieres? –saltó Oblivia, incomóda bajo esa mirada tan profunda.

La lechuza permaneció inmóvil.

Oblivia se agachó, cogió un cascote y se lo tiró, haciendo que levantara el vuelo. Solo cuando la oyó planear lejos, en las habitaciones desiertas del segundo piso, echó a andar de nuevo.

Reconoció la puerta que se le había caído encima de la cabeza a Manfred el día anterior y pasó por ella con la agilidad de una mantis religiosa. Una vez fuera, miró a su alrededor con creciente desesperación. Una procesión de molinos eólicos giraban lentamente sus brazos sobre la cima más lejana. La gigantesca excavadora de la Cyclops yacía abandonada en el patio, peligrosamente inclinada hacia delante.

Y su moto, a poca distancia, tenía las dos ruedas rajadas.

–¡Manfred! –gritó entonces Oblivia Newton–. ¿Dónde te has metido, maldito inútil? ¡Manfred!

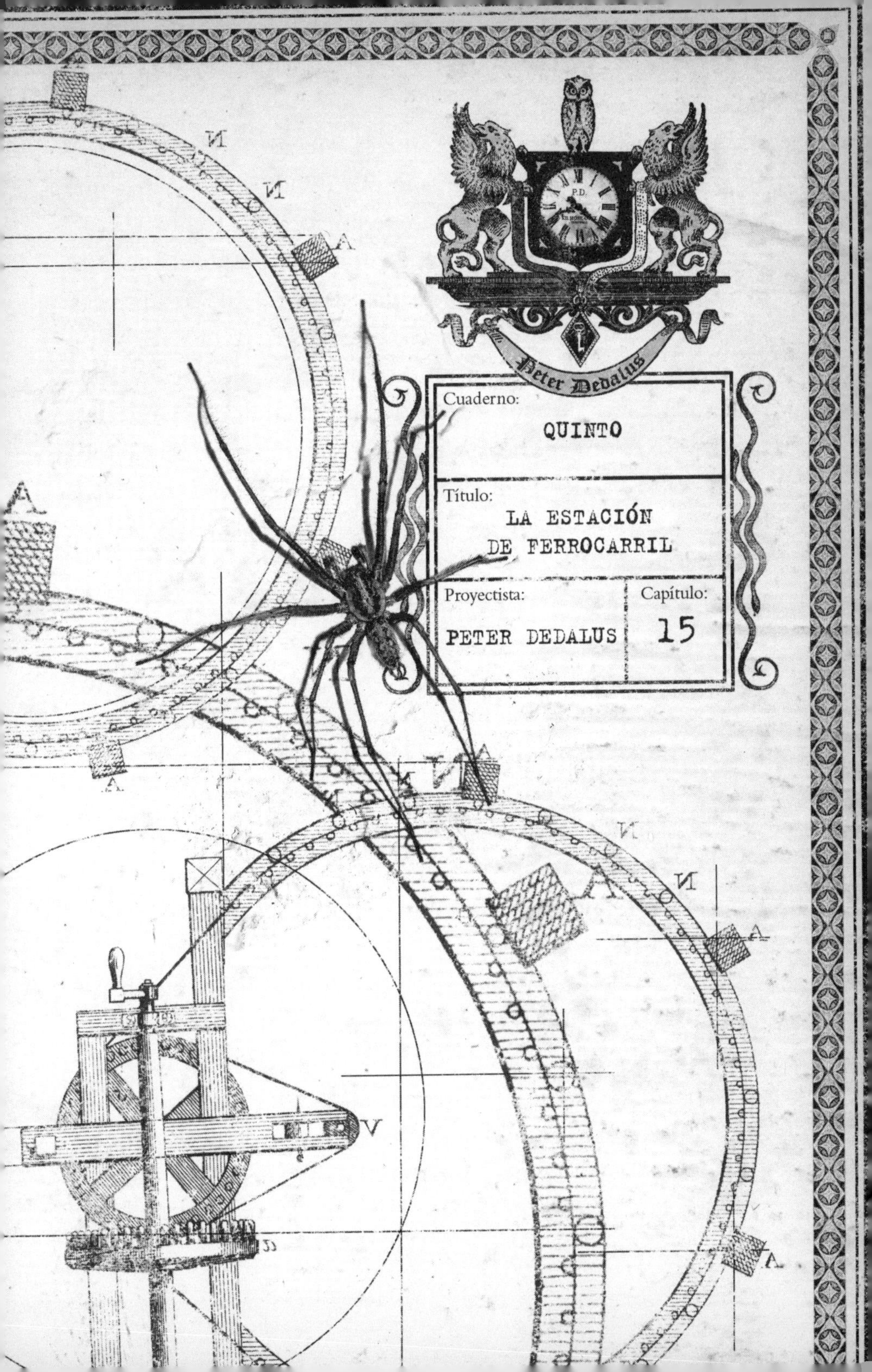
P.D.
Peter Dedalus
Cuaderno:
QUINTO
Título:
LA ESTACIÓN
DE FERROCARRIL
Proyectista:
PETER DEDALUS
Capítulo:
15

Rick, Jason y Julia dieron la vuelta a toda la estación en busca de un hueco por donde poder echar un vistazo dentro. Pero el edificio, polvoriento y austero, parecía un monolito impenetrable. Muy pronto se encontraron caminando sobre las vías del tren, que se alejaban en dos direcciones opuestas hasta desaparecer entre las colinas. Por un lado, pasaban junto a una vieja cisterna para el abastecimiento de agua, similar a un gran embudo puesto del revés. Por el otro, pasadas las dos vías muertas y un par de garitas de chapa, desaparecían entre los árboles. Los hilos eléctricos que alimentaban los motores oscilaban al viento, privados de energía.

–¿Dónde acaban estas vías? –preguntó Jason.

–Hacia el este... –respondió Rick–, en el túnel que pasa por debajo de Shamrock Hills. Mientras que hacia el otro lado... Bueno, allí están los bosques de Crookheaven y las colinas ventosas sobre las que se alza la Casa de los Espejos.

–¿Y qué hay al final de las vías?

–No lo sé. ¿Un montón de tierra?

–¿O quizá un tren?

–No creo que haya quedado ni un solo vagón porque desmantelaron toda la línea.

–Voy a echar un vistazo al túnel –decidió Jason, agachándose para examinar el metal de las vías. Estaba caliente y vibrante–. ¿Está muy lejos de aquí?

–Bajo aquella colina –respondió Rick, indicándole el montón de matorrales y piedras redondas de Turtle Park.

–Perdona, Jason –intervino su hermana–, pero ¿qué piensas encontrar en el túnel?

–Ni idea. Pero tú me habías pedido que me fuera para que pudierais quedaros solos unos minutos, ¿no?

Al oír esto, Julia se quedó de piedra y se puso de todos los colores del arco iris. Rick se había dado la vuelta, fingiendo no haber oído nada y estar concentradísimo en buscar una forma de entrar en la estación.

Jason se alejó sonriendo maliciosamente, dejando a Julia sola a merced de los vientos inmóviles pero salvajes de la confusión.

–¡Oye, que lo que ha dicho Jason no es verdad! –insistió Julia poco después, mientras iba a la zaga del chico pelirrojo.

–No importa –murmuró él, sin apartar los ojos de la fachada de la estación.

Rick caminó sin rumbo, con la mirada fija en un punto vacío a medio camino entre el techo y el cielo, intentando disimular el torbellino de pensamientos que no le permitía razonar con lucidez. Si Jason había soltado aquella gracia, significaba que los dos hermanos habían hablado de él. O, con mayor probabilidad, que Julia le había contado algo a su hermano gemelo. Pero ¿qué le había contado? ¿Le había dicho también lo del beso? ¡Maldición!

–¿No te hacen daño? –le preguntó Julia.

–¿Daño? –balbuceó él, cruzando con ella la mirada.

–Sí, todas esas espinas.

Solo en ese momento Rick se dio cuenta de que, absorto en sus pensamientos, se había metido sin darse cuenta en un zarzal tan intrincado que le llegaba hasta las rodillas. Se miró impotente los pies, ocultos por el amasijo de espinas. ¿Cómo era posible hacer algo tan estúpido? ¿Y que el corazón le latiera tan fuerte?

–Ah, no... –logró decir, recurriendo a quién sabe qué instinto de supervivencia destinado a la conservación de la dignidad–. No me hacen daño. –Para parecer más convincente, le indicó a Julia el segundo piso del edificio de la estación–. Es que solo desde aquí podía ver el tejado y esa especie de cúpula de cristal.

Julia siguió las indicaciones de Rick, sin ver nada de particular.

–¿Y qué ves?

–Ah, pues... nada –admitió Rick–. Creo que está todo cerrado a cal y canto.

Intentó levantar el pie derecho y notó que las espinas le empezaban a correr sobre la piel desnuda de la pantorrilla. No se detuvo. Las espinas arañaban, pero él apretó los dientes. Pie derecho, pie izquierdo, derecho, izquierdo.

Cuando logró salir del zarzal, tenía un laberinto de arañazos rojos adornándole los tobillos.

Cuando Jason volvió de explorar el túnel, Julia y Rick estaban intentando desmontar la pequeña puerta lateral de la taquilla. El chico había conseguido quitar dos clavos oxidados y, resoplando como un fuelle, movía hacia delante y atrás un tablón de treinta centímetros de ancho por un metro de alto.

–Nada de particular, chicos –refirió Jason, que tenía los zapatos rojos de óxido–. El túnel está completamente vacío. Y de todas formas, no es un verdadero túnel. Es un agujero que va por debajo de la montaña, pero que está cerrado por el otro lado. ¿Qué tal por aquí?

–Nosotros estamos como al principio, excepto por dos clavos –dijo Julia entregándole los restos curvados.

–¡Necesitamos herramientas para entrar ahí dentro! –puntualizó Rick.

–¿No has traído nada? ¿Ni siquiera tus habituales cinco metros de cuerda?

Rick pegó un brinco de sorpresa al darse cuenta de que era quizá la primera vez que no había cogido la mochila.

–No. No los he traído. Y no tenemos tampoco el *Diccionario de las lenguas olvidadas* ni…

–No tenemos nada –resumió Julia, sorprendida también ella por la total falta de organización–. Hemos venido a buscar a Black Vulcano con las manos vacías. ¿Se puede ser más tontos?

–Mis cosas las tiene todavía el director –recordó Jason.

–Quizá sería mejor que pasáramos por mi casa para coger por lo menos un martillo –propuso Rick.

Jason empezó a dar vueltas mirando hacia arriba.

–Es una pena tener que irse…

–Solo unos minutos.

Jason empezó a darle vueltas a la cabeza.

–¿Black vivía aquí?

–En el piso de arriba.

–Pero le gustaba trabajar con el fuego. Y eso es algo peligroso.

–No he pensado nunca que mi panadero y su horno fueran un peligro mortal –replicó Rick, haciendo reír a Julia.

Jason movió la cabeza.

–No me has entendido. Quiero decir que Black no podía trabajar con el fuego en el piso de arriba de la estación, ¿no?

–Pues no.

–Parece lógico.

Jason olfateó el aire con desconfianza.

–Pues... a lo mejor usaba una de esas garitas que están a lo largo de las vías.

Rick y Julia lo siguieron hasta la primera de las dos pequeñas construcciones situadas al lado del ferrocarril. No era más que una caseta de herramientas, cuyas chapas, estropeadas por el paso del tiempo, se habían curvado sobre sí mismas como piel acartonada. Dentro había solo polvo, cristales rotos y trastos amontonados al buen tuntún, entre los que Jason encontró un viejo candil y un mechero.

La segunda construcción, sin embargo, parecía más interesante. Era toda de ladrillo y, como acertadamente subrayó Julia, tenía una gigantesca chimenea ennegrecida por el humo. La puerta estaba cerrada con un candado que, no obstante los años, parecía resistente, y la única ventana tenía un par de persianas rígidas echadas.

–Estamos como al principio, diría yo... –observó Rick–. También esta está cerrada.

–A lo mejor sí, o a lo mejor no –comentó Jason, dando una vuelta entera alrededor sin ningún resultado.

Julia se había quedado a cierta distancia, incapaz de apartar la atención de la inmensa chimenea.

–Pero quizá... –dijo– haya una forma de entrar...

En equilibrio sobre el tejado, Rick se asomó para mirar dentro de la chimenea.

–Es grande... como dos de nosotros juntos.

Dejó caer por ella un guijarro que había cogido de las vías y oyeron cómo rodaba dentro de la habitación.

–La campana está abierta –dijo Jason.

–¿Tú crees que es posible bajar por aquí? –preguntó Julia.

Rick se encogió de hombros.

–Quizá. Pero no tenemos cuerda. Además, está el problema del hollín. Si alguien se mete ahí dentro, sale completamente negro.

–Yo ya me embadurné de pez ayer –dijo Jason.

–Y a mí se me ha ocurrido una idea –dijo Julia.

Rick intuyó rápidamente lo que estaban pensando los gemelos y protestó:

–¡Ah, no, yo por ahí no entro! Antes tiro la pared al suelo a golpes.

–Rick...

–¿Cuánto crees que medirá la chimenea?

–¿Un metro?

–¿Dos?

–¡No es eso!

–Te podemos bajar nosotros.

–Podemos construir unas cuerdas con nuestras camisetas...

–¡Venga ya!

–Es nuestra única posibilidad de entrar.

–¿Y? ¡Yo paso de entrar!

–¡Puede ser importante!

–¡Indispensable!

–Y, además, nosotros dos dentro de unas horas tenemos que volver a casa...

–¡Y no podemos esperar hasta mañana!

–¡Chicos! –los interrumpió Rick–. Es una estupidez, ¿entendido? ¡Yo por esa chimenea no bajo!

–¿Estás listo? –preguntó Jason desde el tejado, cinco minutos después.

Rick estaba sentado a horcajadas sobre la chimenea. Tenía un gesto de preocupación y resignación al mismo tiempo.

–Es una estupidez –repitió por enésima vez.

Julia, en cuclillas a su lado, le sonrió.

–Tenemos que hacerlo si queremos averiguar dónde están escondidas las llaves. Mejor dicho, dónde está escondida la Primera Llave.

–A ver si me voy a matar... –gruñó Rick, escrutando con desconfianza el hueco oscuro de la chimenea–. ¿Y si ahí abajo hubiera algo acabado en una punta afilada? ¿Y si me caigo encima y me traspasa de un lado a otro?

–¿Una lanza medieval, quizá? –bromeó Jason–. ¿O un caballero con su armadura? Pues sí, ¿por qué no?

–Si te hace tanta gracia, ¿por qué no vienes y te tiras tú?

–Porque estoy harto de ponerme perdido de hollín.

–¿Es que no estaba yo también ayer en el incendio? –replicó Rick.

–¡Pero tú no tuviste que echar un quintal de pez sobre dos ladrones venecianos!

–Bueno, ya vale, chicos... –intervino Julia, poniéndose de pie–. O ahora, o nunca. En serio.

Rick y Jason se miraron.

–Bueno, vamos –suspiró Rick, balanceándose en el borde de la chimenea.

Julia se le acercó y le plantó un beso en la mejilla.

–Muy bien, Rick –le dijo. Y en voz baja para que Jason no la oyera, añadió–: Menos mal que estabas tú también ayer en el incendio…

Rick se puso rojo como un tomate, sobre todo porque, después de susurrarle aquella frase, el rostro de Julia se quedó pegado a su oído unos instantes, como si hubiera visto algo detrás de él.

–¡Eh! –protestó entonces Jason, pensando que el beso en la mejilla estaba siendo un poco exagerado.

–Ahí hay alguien… –murmuró Julia, separándose de Rick.

Les indicó el patio invadido por las malas hierbas, que temblaba envuelto en vapor bajo el sol de las primeras horas de la tarde.

Jason y Rick se dieron la vuelta.

Un hombre se estaba acercando a la estación, arrastrando los pies por el polvo.

–¿Quién es?

–¿Y qué quiere?

Los chicos intercambiaron una mirada. Jason saltó al suelo, seguido de Julia. Y Rick salió de la chimenea.

En el fondo de la campana, una araña, molesta por las continuas vibraciones de la pared, abandonó su telaraña. Caminó con sus ocho largas patas hasta la punta de la lanza que estaba colocada bajo el hueco de la chimenea y subió por el asta hasta llegar a la armadura medieval apoyada en la pared. Telarañas grises cargadas de polvo se columpiaban entre las junturas como si fueran hamacas. Centenares de ojillos negros y patas peludas hacían chirriar de vez en cuando el hierro oxidado de un yelmo. La araña recorrió las canilleras con una lentitud meticulosa, después empezó a trepar por la pared y prosiguió su camino.

Llegó hasta un enorme mazo de llaves colgado de un clavo, lo meció como si fuera un minúsculo columpio, y comenzó a tejer otra de sus trampas para moscas.

Peter Dedalus
Cuaderno:
QUINTO
Título:
LA TRAMPA
Capítulo:
16

Una mujer vestida con un mono de motociclista de cuero negro recorría descalza, con paso ágil y expedito, la carretera costera de Kilmore Cove. Hacía casi dos horas que caminaba y estaba furiosa. Llevaba colgado en los hombros un par de zapatos de tacones de vértigo e iba contando cada guijarro que se le clavaba en la planta del pie.

–¡Me las pagarás también por esto, Manfred! ¡Ah, sí, me las pagarás!

El sol lanzaba sin piedad sus dardos sobre ella y cada gota de sudor servía para hacer desbordar, aún más, el vaso de su furia. Pero no para lograr que se cansara o para convencerla de que reposara.

Solo de vez en cuando Oblivia se detenía para verificar a cuál de las muchas curvas que unían Kilmore Cove con la civilización había llegado. Y para lamentarse del hecho de que por esa carretera no pasara ningún coche.

De todos los problemas que imaginaba que tendría que afrontar a su regreso, el de no encontrar ni rastro de su chófer era seguramente el último que se le habría pasado por la cabeza. Se lo había imaginado durmiendo en algún rincón apartado de la Casa de los Espejos o leyendo los resultados de las carreras de caballos en un periódico de deportes.

Pero se lo había imaginado.

Y, sin embargo, nada. Ni rastro de Manfred por ningún lado.

Al principio, Oblivia había montado en la moto, decidida a conducirla hasta su casa aun a riesgo de romper las llantas, pero naturalmente no tenía las llaves.

Así que el único medio de transporte que le quedaba eran los pies.

Reconoció un árbol que creía recordar que no estaba demasiado lejos de casa. Oblivia Newton aceleró la marcha, agradeciéndose las horas pasadas sudando en la cinta de correr.

–¡El maratón de Nueva York! ¡Uf! –resopló cuando vio recortarse a los pies de la colina la silueta circular de su futurista mansión de cemento morado con forma de tarta al revés.

Le dio las gracias al cielo por no haberle dejado también a aquel inútil las llaves de su casa y llegó hasta la verja de entrada. El zumbido electrónico de la apertura automática, acompañado por el destello amarillo del foco, fueron una auténtica recarga de energía.

–Mi casa –murmuró Oblivia, enfilando el sendero sin setos.

Fue entonces cuando se dio cuenta de que la puerta del garaje estaba abierta.

–¡MANFRED! –gritó, con un hilo de esperanza que duró solo un instante.

Después su furia se centuplicó. El garaje estaba vacío. Ni rastro del coche deportivo, ni de la moto, ni del dune buggy.

–¿Dónde han ido a parar todos mis coches? ¿Se puede saber dónde han ido a parar TODOS MIS COCHES?

Estaba tan fuera de sí que entró en la casa sin desconectar la alarma. Acababa de llegar a la puerta de la cocina y de echar una mirada al frigorífico repleto de bebidas heladas, cuando empezó a sonar una sirena terrorífica y toda la casa se llenó de rayos láser rojos.

–¡No, maldición! ¡Soy yo! –aulló Oblivia–. ¡Apágate! ¡Apágate! ¡QUE TE APAGUES!

Regresó a la puerta, arrancó la alarma de la pared y, en lugar de desactivarla con los botones del mando, la emprendió a puñetazos con ella hasta que la sirena y el láser desaparecieron por completo.

Respiró profundamente y volvió a la cocina. Se dirigió a la nevera, la abrió de par en par y se abalanzó sobre una botella extralujo de zumo de naranja, zanahoria y limón.

Consiguió volver a recuperar el ritmo de la respiración solo media hora más tarde. Se sentó a la mesa de aluminio y cristal irrompible del salón envuelta en un alegre albornoz morado. La crema suavizante para el pelo emanaba un delicado perfume de maracuyá. La crema antiedad al coco que se había echado por toda la cara despedía destellos blanquecinos. En la mesa reinaba un vaso de cristal rojo lleno de una pócima para restablecer las sales minerales.

–Muy bien –dijo, aunque las cosas no iban bien en absoluto–. ¿Y ahora qué hago?

Se obligó a beber todo el contenido del vaso y mantener el control de la respiración, disfrutando de diez minutos de relajamiento y organizar el resto del día. Su prioridad seguía siendo la misma: entrar en Villa Argo. Pero a esta se había sumado ahora una más: despellejar vivo a Manfred.

Oblivia intentó acordarse de dónde había metido el número de teléfono de la agencia de colocación de ex detenidos a través de la cual lo había contratado.

Y pensó, convencida: «No hay nada mejor que un viejo colega para darle una buena lección...».

Al ir al teléfono para coger su agenda, se dio cuenta de que la señal del contestador automático indicaba que había tres mensajes nuevos.

Bip.

«Señora Newton, ¡buenos días!» –la saludó una voz vagamente familiar–. Perdone si la molesto. Soy Gwendaline Mainoff.»

«Un nombre vagamente familiar», pensó Oblivia.

«Peinados de Gran Clase. Su peluquera.»

«Ah, claro –pensó Oblivia Newton al reconocerla–. Pero eres la peluquera de Kilmore Cove, no la mía.»

«Su chófer está en mi casa», continuó Gwendaline.

Las uñas de Oblivia se clavaron al instante en la reluciente superficie del contestador.

–Pero ¿qué dice?

«Bueno, al menos creo que es él. Habla siempre de usted. Mejor dicho, más que hablar, delira. Es por la fiebre. No creo que se encuentre muy bien. Y es normal: cuando lo encontré en la playa, ayer por la tarde, estaba empapado. Y...»

Bip.

Oblivia escuchó el segundo mensaje.

«Soy yo otra vez, perdone. Antes se ha cortado. Ha debido de acabarse el tiempo para dejar el mensaje. Es que tengo la costumbre de hablar demasiado, lo sé... De todas formas, quería decirle que puede venir cuando quiera, porque ahora está tranquilo. Está aquí en casa dormido en el sofá. Yo vivo sobre la peluquería, ¿se acuerda? Le he dado antibiótico y ahora me parece que está un poco más tranqui...»

Bip.

Tercer mensaje.

«Le prometo que no la molesto más. Es que se me había olvidado que hoy no puede venir cuando quiera... A las seis tengo que salir: me ha llamado una clienta para cortar y marcar a domicilio. No puedo decir que no. Es una clienta nueva. La señora Covenant, ¿la conoce? La que vive en la casa del acantilado. Pero antes de las seis puede venir cuando quiera. Perdone de nuevo por…»

Bip.

Oblivia Newton alzó la mirada, asombrada. No quiso preguntarse qué hacía Manfred medio ahogado en la playa y por qué la peluquera había decidido llevarlo a su casa. No quiso preguntarse lo que habría dicho Manfred en el delirio de la fiebre. Y también, eventualmente, qué habría entendido la peluquera.

Solo la última de las tres llamadas se le había quedado grabada en la cabeza:

–Tiene que ir a cortarle el pelo a la señora Covenant.

A Villa Argo.

A las seis.

Una idea retorcida empezaba a dibujarse en su mente y sus labios esbozaron un amago de sonrisa. Luego su garganta emitió un estertor, que bien podía parecer el inicio de una carcajada. Un segundo. Y, por fin, una alegría liberadora brotó del fondo de su corazón, transformándose enseguida en un ataque de risa, estentórea y casi dolorosa, tan irresistible que hizo que se le saltaran las lágrimas.

–Pero ¡¿cómo se le ha ocurrido?! ¡Y parecía un inútil! ¿Cómo se le ha ocurrido? ¡Oh, Manfred, eres fantástico! ¡Perdona! ¡Perdona! ¡Fantástico! ¡Fantástico!

Oblivia buscó un pañuelo, se secó la nariz y volvió al baño para quitarse el albornoz.

–¡Por nosotras dos, querida Villa Argo! –dijo mirándose con satisfacción al espejo. Finalmente reconocía la imagen de la auténtica Oblivia Newton.

–¡Me hace falta un buen corte de pelo! –rió.

Se abalanzó hacia su guardarropa esmaltado de negro en busca de un traje deportivo e informal al mismo tiempo; después bajó a la habitación de Manfred para coger una gorra de béisbol, una camisa blanca y un par de pantalones beige con rayas negras. Los extendió en la cama y comentó:

–Estos son perfectos para un aprendiz de peluquería.

En un exceso de benevolencia, cogió también del cajón de la cómoda sus gafas de sol de espejo preferidas.

–Mi adorado Manfred... –murmuró malévola–. Aquí tienes tus gafas de hombre de verdad.

Metió todo en una mochila, bajó al garaje y, vista la ausencia total de medios de transporte, buscó la caja de sus viejos patines negros.

Se los puso algo titubeante y se lanzó de nuevo a la carretera, deslizándose sobre el asfalto con una coordinación más que digna.

Estaba tan absorta pensando en lo que estaba a punto de suceder que dejó la verja de entrada abierta y no volvió a encender la alarma de casa. Su mente genial estaba ya imaginando el momento en el que, a las seis de esa misma tarde, subiría a Villa Argo en compañía de Gwendaline Mainoff y su nuevo aprendiz.

–Un plan perfecto. Mejor dicho... ¡De Gran Clase! –canturreó Oblivia Newton doblándose como un huevo sobre el asfalto.

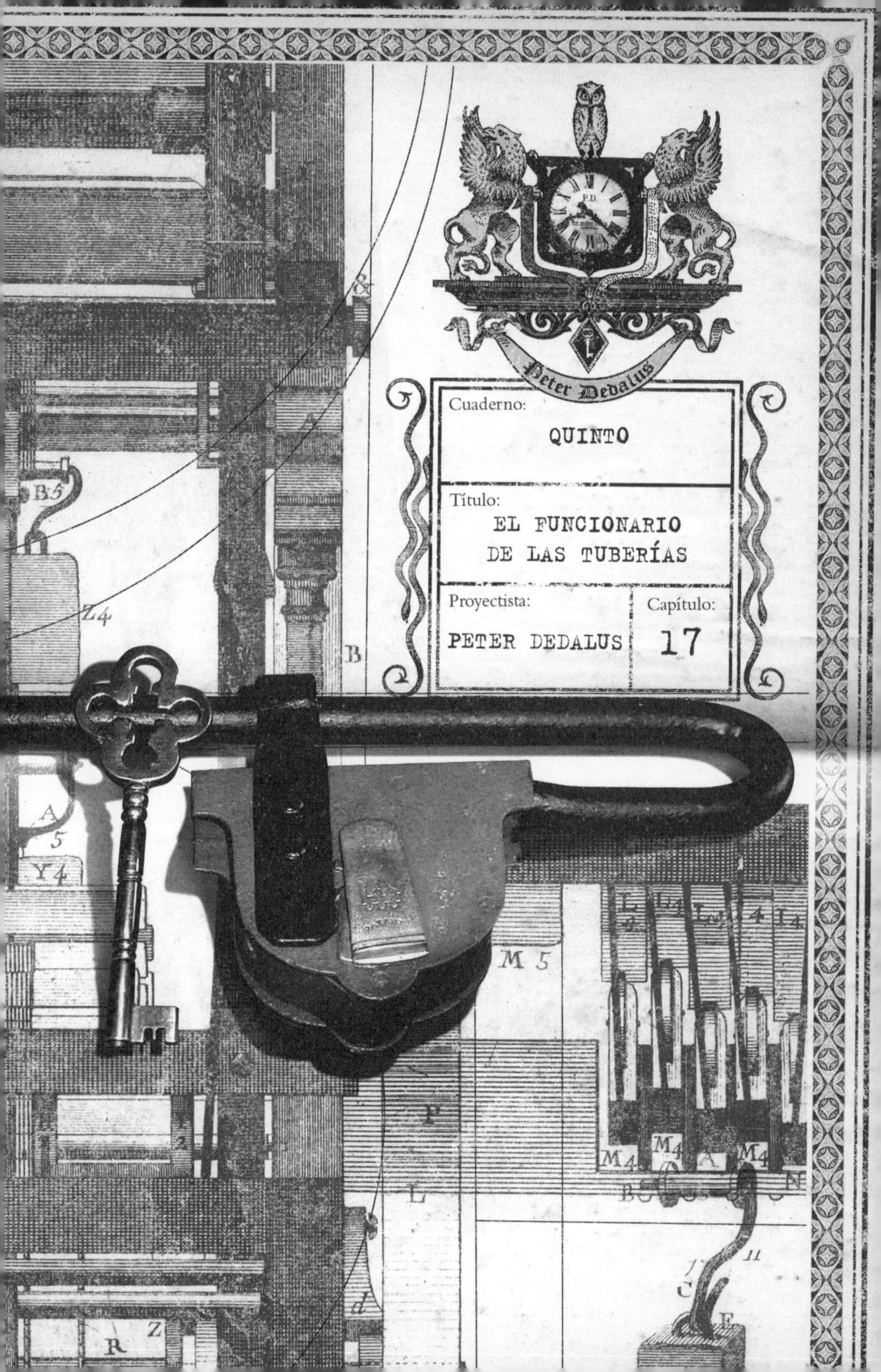
P.D.
Peter Dedalus
Cuaderno:
QUINTO
Título:
EL FUNCIONARIO
DE LAS TUBERÍAS
Proyectista:
PETER DEDALUS
Capítulo:
17

El paso cansino que levantaba el polvo del patio era el de Fred Duermevela, el funcionario del ayuntamiento de Kilmore Cove al que Rick había ido a ver el día anterior. Alto y encorvado como una cigüeña, Fred no notó la presencia de los chicos hasta que los tres llegaron a donde él estaba, la puerta de la Clark Beamish Station.

–¡Eh, chicos! –los saludó–. ¿Qué os trae por aquí?

–Oh, nada... –respondió Rick, que presentó a Duermevela a los gemelos–. Les estaba enseñando la antigua estación.

–Ah, sí, claro –farfulló Fred. Metió las manos en los bolsillos del pantalón. Eran tan profundos que le llegaban a las rodillas. Se puso a hurgar en ellos y sacó una barra de regaliz envuelta en unos tiques.

–¿Regaliz? –ofreció.

–No, gracias –respondieron a coro los chicos.

Fred se metió la barra de regaliz entre los labios, sacó de los bolsillos algunos objetos extravagantes, una copia del periódico de deportes que se puso bajo el brazo y, por último, un mazo de llaves.

–Ah, por fin.

Volvió a meter todo lo demás en los bolsillos con una lentitud que a Julia le resultó exasperante; después, como si se hubiera dado cuenta en ese momento de la presencia de los chicos, preguntó:

–Y entonces, ¿qué hacéis aquí?

–¿Y tú? –le preguntó Julia, fuera de sus casillas.

Fred miró cansinamente la puerta cerrada de la vieja estación y, cuando vio en la pared la enorme grieta que desde el arco subía hacia el reloj, frunció el ceño.

–Tengo que acordarme de arreglar la grieta, antes de que se derrumbe todo.

Hizo tintinear las llaves y se acercó a los candados que aseguraban la puerta de entrada.

–¿Yo? –dijo al cabo de unos segundos, acordándose de la pregunta de Julia–. Hago mi trabajo.

Empezó a probar las llaves hasta que encontró la buena.

La cerradura se abrió, Fred quitó la cadena y apoyó la mano en el portal, como para evitar que se le cayera encima.

–Pero ¿tú no trabajabas en el ayuntamiento? –preguntó Rick.

Fred dio una patadita a la puerta, que se entreabrió lo justo para que pudiera pasar su delgada figura.

–Ah, chicos, ojalá hiciera solo eso... Con los tiempos que corren, hace falta tener por lo menos un par de trabajos si uno quiere llegar a final de mes.

–¿Podemos entrar también nosotros? –le preguntó Jason, cuando lo vio deslizarse por la rendija de la puerta como un cangrejo ermitaño en la concha.

–Claro –resonó desde dentro la voz de Fred–. ¡Venid, venid!

Rick, Jason y Julia entraron finalmente en la Clark Beamish Station. Pasada la puerta, se encontraron en una amplia sala cuyo techo se perdía hacia lo alto en la gran claraboya central de cristal y hierro forjado. Rayos de luz llovían de la cúpula como de la vidriera de una catedral. Del centro colgaba una enorme lámpara apagada, sobre cuyos brazos oscilantes algunos pájaros habían construido sus nidos. Los zarcillos de las plantas trepadoras que habían crecido sobre la claraboya se columpiaban en el vacío como lianas.

Abajo, la habitación resonaba sorda con el rumor de sus pasos. Años de polvo arrastrado por el viento y de lluvias caídas de lo alto habían recubierto el suelo de mármol con un delicado manto de florecillas amarillas.

Delimitaba la sala central un pórtico de columnas con elegantes arcos, bajo los cuales, semejantes a flores secas, pendían los globos de los faroles. En un lado estaba la taquilla, con sus altas ventanillas y sus mostradores de piedra clara. En el otro, un bosquecillo de bancos de hierro forjado, bajo los cuales crecían algunas setas de vivos colores.

De frente a la entrada se abría un arco gemelo al arco por el que habían entrado. Conducía a las vías. Estaba coronado por un descomunal panel de hierro forjado con los horarios. Tenía decoraciones florales y cadenillas tintineantes que lo mantenían en equilibrio como el colgante de un gigantesco collar. La sobria entrada de los servicios y un quiosco con las persianas bajadas completaban la escena.

Los chicos tardaron unos minutos en apreciar todos esos detalles, mientras Fred se encaminaba con paso metódicamente lento hacia la taquilla. Las estrías de las columnas y las nervaduras de la cúpula eran como los tallos de grandes hojas curvas, mientras el prado de margaritas parecía la decoración de un hábil marmolista.

–Qué sitio tan absurdo... –murmuró Jason.

–Apuesto a que hace años que nadie pone los pies aquí dentro...

–Excepto él.

Fred estaba de nuevo trajinando con las llaves para encontrar la que abría la puerta de la taquilla.

–A saber qué viene a hacer aquí…

Lo siguieron sin dejar de mirar a su alrededor fascinados. Dentro de la estación, el aire era cálido y húmedo como el de los invernaderos.

En comparación con el resto del edificio, la taquilla era sin duda lo más normal. Era una habitación pequeña, amueblada con simplicidad: un mostrador en el que había un colosal horario de trenes, una máquina para imprimir billetes y una silla giratoria.

–Dedalus –murmuró Rick, reconociendo en la máquina de imprimir billetes la mano del relojero.

–Sin duda –confirmó Jason, clavando la mirada admirado en la secuencia de teclas redondas, similares a las de una vieja máquina de escribir. En cada una de ellas había sílabas extrañas y uno, dos o tres números, sin un orden lógico aparente–. Una de sus máquinas incomprensibles…

A sus espaldas, Julia pegó un chillido.

–¿Qué pasa? –preguntaron los dos chicos, dándose la vuelta de golpe.

Junto a Julia se encontraba ahora el horario de trenes, que se había alzado del mostrador unos centímetros.

–Nada… –dijo ella–. He rozado el horario un poco y… se ha levantado solo.

Rick se agachó para mirar debajo del libro polvoriento y descubrió que estaba apoyado en un plato de hierro negro, sostenido a su vez por un brazo desmontable.

–Es solo un sujetalibros muy sensible –dijo alzándolo. Luego lo empujó y el gigantesco horario de trenes se alzó en el aire, como flotando.

Julia sonrió.

–Claro. Solo un sujetalibros normal…

Miraron a su alrededor: Fred Duermevela había desaparecido dentro de la segunda habitación, contigua a la taquilla.

–Pues sí que salían trenes de esta estación… –observó Jason, intentando levantar la tapa rígida del horario.

Sopló esparciendo una nube de polvo sobre su hermana; después leyó el encabezamiento del volumen:

HORARIO PERPETUO DE TODOS LOS TRENES
PARA / DE Y A TRAVÉS DE KILMORE COVE
EN VIGOR DESDE EL 18 DE ENERO DE 1936

Pasó unas cuantas páginas: estaban llenas de interminables tablas de horarios en columnas, precedidas por los nombres de las distintas localidades en las que efectuaban parada los trenes.

En lo alto, cada tabla llevaba el nombre de la estación de destino resaltada en negrita, el número del vagón y, a veces, la anotación «tren especial» o «tren normal» o también «solo festivo».

Al oír unos ruidos que provenían de la habitación contigua, Jason dejó el horario y propuso a los otros dos ir a controlar qué estaba haciendo Fred Duermevela.

Lo encontraron con la cabeza metida en un gran agujero abierto en la pared.

Cuando se dio cuenta de que estaban allí, Fred se mostró casi disgustado.

–Ah, chicos, sois vosotros. Perdonad, pero… creo que hay problemas.

–¿Qué estás haciendo? –le preguntó Rick con curiosidad.

El agujero no era un simple agujero. Parecía más bien una especie de cuadro de mandos, por el cual transitaban tuberías de varias dimensiones, reguladas por codos y válvulas azules y rojas.

La habitación, por otro lado, constituía el corazón operativo de la estación. Buena parte de ella la ocupaba una plancha de hierro negro con unos carriles horizontales que reproducían las vías férreas. A estos carriles principales se añadían algunos más en ambas direcciones, todos ellos marcados con un número. En los cruces destacaba la reproducción de un cambio de vías, que se ponía en funcionamiento mediante una palanca roja.

Evidentemente debía de tratarse de un tablero desde el que se controlaban todos los cambios de vías del pueblo.

–Y menos mal que aquí hay una sola vía... –murmuró Jason, moviendo la cabeza. Ese mecanismo tan complejo le pareció verdaderamente desproporcionado para una estación de un pequeño pueblo, al igual que eran inútilmente titánicos el panel de llegadas y salidas y el horario de los trenes.

Fred Duermevela se dio la vuelta hacia los tres chicos mientras se enjugaba una minúscula gotita de sudor de la frente.

–A mí me lo vas a decir...

–Pero ¿qué vienes tú a hacer aquí exactamente? –saltó Julia.

Fred le indicó las tuberías de la pared y respondió con aire indulgente:

–Girar las válvulas, ¿no?

–Y... ¿por qué?

–Porque si no lo hago yo, ¿quién lo hace?

Los chicos cruzaron una mirada de perplejidad. –¿Y por qué hace falta girar las válvulas de estas tuberías?

Fred se rascó la oreja.

–Para ser sinceros, no lo sé. Yo solo sé que dos veces a la semana tengo que venir aquí a girarlas todas. Tengo que cerrar las rojas y abrir las azules.

–Parecen tuberías del agua –observó Rick con curiosidad. Acercó el oído a una de ellas y dijo–: sin duda, lo son.

Julia era la más sorprendida de todos.

–Entonces… tú, dos veces a la semana, vienes aquí a girar las válvulas… y después te vas.

–Es mi trabajo.

–Pero no sabes por qué lo haces.

–Si es por eso, a la mayor parte de las personas les pasa lo mismo.

–Perdona si insisto, pero ¿quién te ha dado este empleo?

Fred suspiró:

–Ah, el viejo Black antes de irse.

Los chicos se pusieron tensos.

–¿Tú conociste a Black?

–Claro.

–¿Y sabes adónde se fue?

Fred se quedó pensativo.

–Para ser sinceros… quizá sí, pero no me acuerdo con precisión.

–¡Por favor!

Fred arrastró los pies por el suelo, molesto por su falta de memoria.

–¡Bueno, chicos, han pasado unos cuantos años!

–Es muy importante para nosotros…

Fred bostezó, recostándose en la pared.

–Bueno, puedo tomarme un descansito –decidió–. Me preguntáis por Black Vulcano, ¿no? Vamos a ver… dejadme pensar…

Rick, Julia y Jason permanecieron en silencio escuchando los dedos de Fred, que tamborileaban sobre el hierro.

–Antes de irse –empezó a contar el hombre, cuando los chicos ya habían perdido toda esperanza–, Black Vulcano fue a verme a la oficina del ayuntamiento. Todos sabíamos que la estación estaba a punto de cerrar porque nos había llegado una circular informativa, por lo que no era una novedad para mí que el jefe de estación se fuera. ¿Cómo va uno a trabajar con los trenes si no queda ni siquiera un tren?

–Exacto –aprobaron los chicos a coro.

–Me dijo: «Duermevela, amigo mío». Porque éramos amigos desde hacía un montón de tiempo. Habíamos ido al colegio juntos. Habíamos ido al colegio todos juntos, a decir verdad, porque no es que hubiera muchos chicos en aquellos tiempos… En cualquier caso, me dijo «amigo mío» y me preguntó si podía hacerle un favor. Dado que se iba del pueblo, le hacía falta alguien que viniera a hacer este trabajo de las válvulas. «Dos veces a la semana», me dijo. Bastan cinco minutos. Pago anticipado, porque me conocía y sabía que lo haría. Yo le contesté que estaba ya muy ocupado con el archivo de Kilmore Cove y él me dijo que me pagaría ocho esterlinas al mes. A lo que yo respondí: «Trato hecho». Y fuimos a cerrar el trato a la taberna.

Los chicos escuchaban en silencio.

–Entonces le pregunté: «¿Cuándo te vas, amigo?». Y él me contestó que se marchaba enseguida, a la mañana siguiente. Mejor dicho, por la tarde, ahora que me acuerdo. En el tren de la tarde.

–¿En el tren de la tarde?

–Pues sí –gruñó Fred Duermevela–. Dijo exactamente eso: «En el tren de la tarde».

–Pero ¿la línea del tren no estaba ya en desuso?

–Pues tienes razón, jovencito –dijo Fred–. No había ya ningún tren por las tardes. Ni tampoco por las mañanas. ¡Así que por eso se reía! ¡Vaya! Y yo que creía que se había marchado de verdad en tren... –Duermevela apoyó los dos brazos en las rodillas, adoptando una postura parecida a la de una enorme araña–. Me tomó bien el pelo, el viejo Black. ¡En tren!

–Quizá cogiera un tren especial –aventuró Julia.

–¿Y cómo? –dijo Jason–. Por ese lado las vías acaban en el túnel.

–¿Y por el otro lado?

Los chicos se dieron la vuelta hacia donde estaba Fred.

–¿Tú sabes dónde acaban las vías por el lado de Crookheaven?

–Pues sí. Acaban en Crookheaven –dijo el hombre–. Llegan hasta el bosque y mueren allí. Hay algún cambio de vías, me parece, pero son todas vías muertas. Mi hermano y yo vamos siempre a buscar setas a lo largo de los raíles.

–Así que no hay ningún tren.

–No, no. Ningún tren, en serio. Fue solo una tomadura de pelo... –Fred movió la cabeza–. Pero, a pesar de ello, lo recuerdo como si fuera ayer, entre otras cosas porque… la tarde que se marchó oí la campanilla del paso a nivel ¡Y ese recuerdo lo tengo bien grabado en la memoria, chicos! De hecho, Black me dio una esterlina más para que hiciera otra cosa.

–¿Qué?

–Tenía que hacerlo solo una vez. Y era un poco más complicado que lo de girar las manivelas. «Un poco más», me dijo. Tenía que volver a poner como al principio todos los dispositivos del tablero de control… y apagarlo, tirando de esta palanca. Así…

Fred rozó las palancas que accionaban los diversos dispositivos y el tablero de control produjo sendos *clics* pequeñitos.

–Claro –dijo Jason–. Y cuando la apagaste… ¿viste si en las vías había algún tren?

–Oh, no… –recordó Fred–. No había trenes desde hacía años. Había solo un número, aquí…

Y mientras decía esto mostró a los chicos el espacio rectangular que se encontraba bajo la reproducción de la vía.

–¿Qué número? –preguntó Jason.

Fred sonrió.

–Te lo creas o no, sabía que antes o después alguien me preguntaría: «Eh, Fred, ¿tú te acuerdas del número que había en el tablero de control de la estación de Clark Beamish cuando lo apagaste?

–¿Te acuerdas?

Fred Duermevela acentuó su sonrisa astuta.

–Yo tengo buena memoria, ¿sabéis? Y precisamente porque tengo buena memoria, generalmente no apunto las cosas. Pero con ese número hice una excepción.

Abrió una billetera manoseada y, después de rebuscar en un amasijo confuso de hojas y folletos, sacó una que el tiempo había desgastado y borrado casi por completo.

–Rayos... –gruñó Fred Duermevela, poniéndola al contraluz–. No se lee bien. Yo diría que es... ¿el 1374?

Los chicos miraron fascinados el tablero de control.

–¿Podría ser el número de un tren? –preguntó Jason.

–¿Crees en serio que Black se marchó en tren? –murmuró Julia–. Mira que coger un tren sin una línea de ferrocarril es bastante difícil...

–¡Esperad! –exclamó el funcionario del ayuntamiento–. Ahora que lo pienso, en el panel de las salidas de ahí fuera había algo escrito.

–¿Qué?

Fred empezó a rascarse nerviosamente la cabeza.

–Estaba escrito... estaba escrito...

En cada intento, los chicos se inclinaban hacia delante, como para ayudarlo a hacer que el recuerdo aflorara.

–¡Ah, sí! –exclamó Duermevela al final–. Estaba escrito: «Última parada: Kilmore Cove».

–Última parada Kilmore Cove... –repitieron los chicos al unísono, mirando hacia el tablero de control.

–Y aquí aparecía el número 1374 –añadió Jason, apoyando las manos sobre los varios cambios de vías–. ¿Y estos? ¿Cómo estaban colocados?

–Bueno, chicos... ¡Ya vale, ¿no?! ¡Queréis saber demasiado! ¡No me acuerdo! –protestó el hombre–. Y ahora, por favor, dejadme acabar mi trabajo, ¿vale?

–Vale... –murmuraron ellos, nada convencidos. Fred metió de nuevo la cabeza en el agujero lleno de tuberías y, con una lentitud que era exasperante, empezó a girar todas las válvulas azules y rojas.

Los chicos se miraron entre sí. Después Julia alargó una mano hacia la palanca que accionaba el tablero de control de la estación y tiró de ella. El tablero de hierro negro se alzó y vibró, produciendo un zumbido delicado.

–Funciona –dijo.

–¿Qué habéis dicho? –preguntó Fred Duermevela, con la cabeza cada vez más metida entre las tuberías.

–¡Nada, nada! –se apresuraron a contestar los chicos.

Los números de las distintas vías se encendieron con una tenue luminiscencia roja, al tiempo que se iluminaban las palancas que regulaban los cambios.

Rick puso la mano en una minúscula rueda y empezó a girarla para cambiar los números de cuatro pequeños cilindros de hierro. En pocos segundos compuso el número 1374.

Y de la sala grande de la estación llegó un ruido.

Salieron corriendo, cruzaron la taquilla y descubrieron que lo que había producido el ruido era el panel de las salidas y llegadas, que se había puesto en marcha. Algunos cilindros de metal habían empezado a girar vertiginosamente sobre sí mismos para formar la hora exacta. Luego el panel se paró de golpe, con todas sus líneas negras, como a la espera de algún otro comando.

–¿Y ahora? –preguntó Jason.

Julia se quedó pensando unos momentos; luego volvió a la taquilla. Se sentó en el mostrador, junto al descomunal horario ferroviario y miró perpleja a Rick y a su hermano.

–Este sitio me pone nerviosa. ¿A vosotros no?

–Quizá deberíamos acabar de explorarlo.

–Al fin y al cabo no hemos visto todavía el apartamento de Black Vulcano. Debería de estar aquí arriba, por algún lado.

–¿Has visto las escaleras?

–No. A lo mejor se entra desde fuera.

–Podemos preguntárselo a Fred.

–Creo que es él el que me pone tan nerviosa –puntualizó Julia–. Es tan lento que me saca de quicio.

–Pero ¡es la última persona que vio a Black Vulcano en Kilmore Cove!

–Y a la que el maquinista encomendó una tarea.

–Aparentemente inútil…

–Es como si regulara una especie de instalación de agua –continuó Rick–. Quizá esté conectada con la cisterna de las vías.

Jason se acercó a la máquina de imprimir billetes, escrutando la multitud de teclas redondas con los números del 1 al 10 y con extrañas combinaciones de letras: *TP*, *SH*, *CR*, *VA*, *IO*… y similares.

–Eh, Rick –dijo–, mira a ver si tú entiendes algo…

El chico pelirrojo examinó el teclado durante un buen rato antes de rendirse.

–Me parece completamente ilógico –comentó–. Sobre todo por esas letras.

–A lo mejor son siglas de trenes –sugirió Julia.

–¿Y cómo podemos saberlo?

La chica empujó el gigantesco horario de trenes.

–¿A lo mejor con este monstruo?

Rick agarró el libro y empezó a hojearlo. Jason, que ya lo había mirado antes, les hizo notar cómo estaba organizado:

–Arriba está indicado el destino, después el número de tren y debajo todos los horarios de la...

–Busca como destino Kilmore Cove –propuso Julia.

–¿Y por qué?

–Si el panel de salidas decía «Última parada: Kilmore Cove», significa que el tren tenía como destino Kilmore Cove.

Jason y Rick se miraron.

–¿Por qué no?

Hojearon el horario levantando nubes de polvo y densos hilos de telarañas.

–¡Aquí está! ¡Estos son los trenes que van para Kilmore Cove! –exclamó Jason, cuando encontró la página.

–Dos –dijo Rick, controlando también la página siguiente–. El Tren Panorámico Sur 3458, procedente de... Zennor, y este otro de aquí. El 1974.

–¿Procedente de?

–No hay paradas señaladas en el horario –observó Rick–. O mejor dicho, las han tachado todas.

–¿Tachado?

–Con tinta negra.

Rick puso la página al contraluz, intentando leer algo entre las tachaduras que cubrían la página. Me parece que está escrito... «Jardín del Preste Juan».

–¿«Jardín del Preste Juan»?

–Jardín del Preste Juan –confirmó Jason–. Y aquí abajo: Shamrock no sé qué más.

–Shamrock Hills –dedujo Rick–. Las colinas donde está el túnel. Entonces esta palabra es... Crookheaven, al otro lado de las vías.

–Y esta parada podría ser... T... ¿Turtle Park?

–Una especie de tren de cercanías –comentó Julia.

–Si no fuera porque en Turtle Park no hay línea de ferrocarril –observó Rick–. Está cuesta arriba, en lo alto.

Julia se levantó de la silla y se puso a mirar la página tachada con ellos.

–Y esto –dijo al cabo de unos segundos.

–Esto ¿qué?

–El tren del que nos ha hablado tu amigo.

–No es mi amigo –protestó Rick.

–Nos ha dicho 1374, pero la hoja estaba descolorida. Podría tratarse del número 1974, ¿no creéis?

–Pues sí. Podría ser... –murmuró su hermano–. ¿Y entonces?

–No lo sé. Pero podríamos ver qué pasa si ponemos ese número en el tablero de control

–Voy yo –se ofreció Rick, que volvió inmediatamente después–. Ya está. Pero sería mejor que nos espabilemos. Duermevela casi ha acabado y, en cuanto saque la cabeza del agujero, se dará cuenta de que hemos vuelto a encender todo.

–¡Pues mira a ver si se te ocurre algo!

También esta vez fue Julia la que tomó la iniciativa:

–Creo que tendríamos que intentar imprimir un billete.

–¿Y cómo?

–¿Hay números o siglas señalados en el horario?

–El número 1974 y luego… a lo mejor algo… sí, pero borrado. Hay… creo… una C. Empieza por C.

Julia se colocó ante el teclado y suspiró:

–A ver qué pasa. Primero el número del tren, como en el horario.

Puso un dedo en la tecla 1 y apretó. La tecla se hundió con un chasquido metálico y se quedó bajada. Julia miró a Rick y continuó.

–Mil novecientos setenta y cuatro –dijo, apretando por orden de aparición las teclas 9, 7 y 4, que se quedaron todas bajadas.

–Más que un tren parece una fecha –dijo Jason.

–Ahora busca la *C* –la animó Rick.

Julia pasó rápidamente revista a las teclas y sacudió la cabeza.

–No está.

–¿Cómo que no está?

–Está solo la sigla *CL.*

Rick intentó de nuevo leer algo en la página del horario.

–No sé, no sé. Inténtalo con la tecla *CL.* Aquí no se entiende nada, así que…

Julia apretó la tecla, que se quedó bajada como las otras.

–Tengo la sensación de que esta máquina está estropeada –comentó desilusionada–. ¿Qué tecla queréis que apriete ahora?

–Mil novecientos setenta y cuatro, CL… –empezó a repetir Jason en voz alta–. Mil novecientos setenta y cuatro, CL…

Rick seguía escrutando desesperadamente el horario.

–¿*VB*? ¿*TR*? ¿*OE*? ¿*AA*? –leyó Julia en las teclas que todavía permanecían alzadas.

–¿Hay una tecla *IO*? –preguntó de repente Jason, como si hubiera tenido una brillante ocurrencia. Julia tardó unos segundos en encontrarla. –Sí, ¿por qué?

–CL-IO –dijo Jason–. ¿No era ese el nombre de la hermana de miss Biggles?

–Clitennestra Biggles –respondió Rick–. Conocida como Clio. Sí. ¡Así es como la llamaban!

–¿Pruebo?

–Prueba.

Julia apretó la tecla con las letras *IO*. La máquina produjo un último chasquido y todas las teclas bajadas hasta ese momento se alzaron a la vez.

Después se oyó un ruido como el de un torbellino y la parte de atrás de la máquina se tragó una hoja, que permaneció allí inmóvil, lista para imprimir.

–No funciona –dijo Julia tras unos segundos de frenética espera.

–¿Qué es lo que faltará todavía?

–Hemos tecleado el número del tren, el código... no sé.

–Tres –dijo Rick.

–¿Tres qué?

–Aprieta el *3*. A lo mejor quiere saber el número de pasajeros –sugirió.

Julia apretó el *3*. La tecla permaneció bajada unos segundos. Después se levantó de golpe y la máquina se puso a traquetear. Toda la operación duró el tiempo necesario para escupir una hojita rectangular con una elegante cenefa liberty, en la que estaba escrito:

CIUDAD DE KILMORE COVE – Clark Beamish Station
Billete para el tren especial – CLIO 1974 –
Tren de la eterna juventud
Validez: solo hoy
Número de pasajeros: 3
Para las condiciones de embarque, consulten la oficina de información o el panel informativo.

–Magnífico... –susurró Julia, fascinada por aquel rectángulo recién impreso–. ¿Y ahora?

En la otra habitación Fred lanzó un grito.

–¡Corramos a ver qué está pasando allí!

Peter Dedalus
Cuaderno:
QUINTO
Título:
ENGRANAJES
EN MARCHA
oyectista:
TER DEDALUS
Capítulo:
18

Oblivia Newton se detuvo ante los dos letreros de la peluquería de Gwendaline Mainoff, intentando permanecer en equilibrio encima de los malditos patines. Se dejó caer al suelo, se los quitó con gesto displicente y los arrojó lo más lejos posible. Abrió la mochila y sacó un par de botas de alpinismo que se conjuntaban perfectamente con el chándal ajustado que se había puesto para bajar al pueblo.

Llamó.

Cuando la campanilla sonó por segunda vez, Gwendaline se asomó por la ventana del piso de arriba con el auricular del teléfono todavía pegado a la oreja.

–¿Quién...? –empezó a decir, pero, tras una rápida ojeada, reconoció inmediatamente a Oblivia y volvió a meter la cabeza en casa como impulsada por un resorte–. ¡Estupendo! Perdona, mamá, pero acaba de llegar la señorita Newton. ¡Hasta luego!

Oblivia frunció el ceño. Oyó pasos por las escaleras y luego vio abrirse la puerta que quedaba bajo el letrero *Pelo y barba solo para caballeros.*

Gwendaline salió a la calle luciendo dos gigantescas pantuflas con forma de perrito.

–¡Señorita Newton! –la llamó–. Por aquí, por favor.

Oblivia esbozó una sonrisa forzada y la saludó.

–Buenos días, Gwendaline.

–Siento mucho haberla hecho venir hasta aquí, pero no sabía qué hacer.

–¿Manfred está arriba?

–¿Manfred? Claro, Manfred... Sí, está dentro. Acompáñeme, por favor. ¡Y no haga caso del desorden! Tiene que perdonarme, pero... vivo sola, trabajo y... –Gwendaline fue abriendo paso a través de la peluquería hasta alcanzar la pequeña puerta que se abría justo detrás–. Sí, sí puede cerrar. Eso, sí, gracias.

Pasado un corto pasillo con forma de herradura que comunicaba con la otra mitad de la peluquería, había una empinada escalera con la pintura desconchada por el salitre que conducía al piso de arriba.

–Por aquí... –dijo entonces Gwendaline–. Y no haga caso del desorden.

–No se preocupe. Yo también soy una mujer sola y también trabajo.

–Ah, ¿de verdad? ¡Estupendo! Es decir, lo siento... pero quiero decir que nos entendemos. Sabía que teníamos algo en común, lo he comprendido enseguida. Por aquí, por favor. Pase, pase. Atención al escalón, eso es...

El apartamento de Gwendaline era verdaderamente delicioso. Después de un recibidor tapizado de color turquesa, se pasaba por delante de una pequeña cocina y se entraba en un salón color lila, con una pérgola y un cielo azul pintado en el techo. Había butacas de bambú trenzado con mullidos cojines blancos colocadas en torno a una alfombra de color blanco marfil con adornos dorados. Un tapiz colgaba de la pared y unas ramas de avellano secas decoraban la mesa baja de madera.

–Ahí está –dijo Gwendaline, indicando al hombre tumbado en el sofá de bambú–. He hecho lo que he pensado que era mejor y creo que la fiebre ha bajado.

Al oír acercarse a la joven, Manfred dejó caer débilmente un brazo al suelo y emitió un lacerante y teatral gemido de dolor.

A Oblivia le bastaron unas décimas de segundo para comprender que estaba fingiendo.

–Manfred –dijo secamente.

El chófer abrió los ojos como si hubiera recibido un latigazo y escondió el brazo debajo de la manta. Enfocó a las dos mujeres que estaban en el fondo de la habitación y, en cuanto reconoció a Oblivia, se puso en pie de un salto.

–¡Señora Newton! –exclamó, tapándose como pudo con la manta–. Yo… ¿Cómo…?

–Tranquilo, tranquilo –le dijo ella con frialdad–. ¿Qué me cuentas?

–Yo… –Manfred no había cerrado aún la boca del todo–. Me he… caído.

–¿De dónde?

–Del… del… –empezó a balbucear, pensando en algo inteligente que decir.

Gwendaline movió los brazos a modo de alas.

–Del acantilado de Salton Cliff. ¡Lo ha estado repitiendo toda la mañana!

Manfred gruñó algo.

–¿Y qué habías ido a hacer al acantilado de Salton Cliff?

–Estaba subiendo con el dune buggy… por la carretera que lleva a Villa Argo…

–¿Y cómo has podido caerte con el dune buggy de la carretera de Villa Argo?

Manfred, cada vez más nervioso, empezó a retorcerse la manta alrededor de la cintura y se quedó con el torso desnudo.

–Estaba intentando esquivar un caballo.

–Ah –dijo Oblivia gélida–. Intentando esquivar un caballo.

Gwendaline intuyó que la situación era tensa y salió del paso con un conciliador:

–¿Alguien quiere una tazá de té?

La mirada de Oblivia fue a posarse en la peluquera y se disolvió en una radiante sonrisa.

–¡Qué magnífica idea! Te acompaño, así Manfred puede cambiarse. –Y al decir esto le arrojó la ropa de aprendiz de peluquería que había seleccionado cuidadosamente poco antes–. Ni una pregunta –le susurró gélida–. O te despido.

La cocina era tan coqueta como el resto de la casa. Pintada de azul, con estantes adornados con flores secas y girasoles.

La joven alineó en la mesa tres tazas de porcelana con los bordes plateados y puso en el fuego un hervidor acabado en un pajarito.

–Cuando el agua hierve –explicó–, el pajarito silba.

–¡Fantástico! –recalcó Oblivia Newton–. Tienes una casa encantadora.

–¿Usted cree? Lo he hecho todo yo sola, o mejor... lo he pensado todo yo sola, pero después me han ayudado.

–Absolutamente encantadora. Escucha, querida –comenzó a decir Oblivia con tono decidido–, no sé cómo pedirte disculpas por lo que ha pasado. Y creo que estoy en deuda contigo.

–¡Ni lo piense! Ha sido... ha sido un placer, de verdad. Hacía años que no se oía roncar a alguien en esta casa y... aunque deliraba y de vez en cuando gritaba ha sido agradable.

–¿Has oído lo que decía?

–Sobre todo repetía su nombre. Y, además, la tenía tomada con unas llaves y unas puertas.

–¡Ah, las puertas! –gimió teatralmente Oblivia–. Siempre la misma historia.

–¿Qué historia?

–Manfred está obsesionado con las puertas. Es como... no sé, una especie de coleccionista de puertas.

–Fascinante –suspiró Gwendaline, añadiendo este detalle a la información que había ido recopilando sobre él.

–Sí, pero estresante. Verdaderamente estresante. Has visto lo que ha pasado, ¿no?

–¿Quiere decir lo del acantilado?

–Quiero decir lo del acantilado.

–Él afirma que es la segunda vez que se cae rodando desde allí arriba.

–Y siempre por culpa de la misma puerta.

–Me temo que no entiendo, señorita Newton.

El pajarillo salió en su ayuda en forma de silbido y Gwendaline echó el agua hirviendo en la tetera.

–En Villa Argo... –explicó Oblivia– dicen que hay una antigua puerta del siglo XVIII o XIX y él quiere verla a toda costa. Pero, por una razón u otra, no lo ha conseguido nunca.

–¡Pobrecillo!

–¡Dímelo a mí! Prácticamente, no habla de otra cosa porque, cuando a Manfred se le mete algo en la cabeza, es muy testarudo.

Y pensar que le bastaría con echarle una ojeada, ¡solo una! Pero hasta que las cosas no se hayan calmado un poco... –Oblivia hizo con las manos un vago gesto alusivo que Gwendaline creyó entender.

–Ah, claro. Con lo de los nuevos dueños y... esas cosas...

–Exacto. No es fácil presentarse ante esos señores de Londres y pedirles que nos dejen entrar en casa para ver una puerta.

–Pues sí. Pueden tacharlos de excéntricos, como mínimo.

–Exacto.

–O caerse por el acantilado.

–Todavía peor.

Gwendaline cogió la bandeja y se dispuso a llevarla al salón.

–¿Manfred habrá acabado ya de cambiarse?

–Pobrecillo… –gimió Oblivia, interponiéndose entre ella y la puerta de la cocina para captar toda su atención–. Si hubiera una manera de que pudiera entrar en Villa Argo… –Lanzó una mirada a Gwendaline y después añadió–: Si hubiera alguien que fuera hasta allí arriba…

–Espere un momento –la interrumpió Gwendaline.

–¿Sí? –suspiró Oblivia, pensando que ya había conseguido lo que quería.

–¡Yo hoy tengo una cita en Villa Argo con la señora! –exclamó Gwendaline–. ¡A las seis!

–¿De verdad? –la emuló Oblivia, pestañeando–. ¿Y no sería fantástico si pudiéramos acompañarla?

Gwendaline movió la cabeza.

–Bueno, es que yo trabajo sola.

–¿Seguro?

Gwendaline miró fijamente a Oblivia Newton.

–¿Qué me está proponiendo exactamente?

Oblivia le dejó el camino libre hasta el salón, donde Manfred estaba arreglando el sofá.

–Oh, es muy fácil, querida Gwendaline. Yo podría quedarme en el coche, mientras tú, y tu nuevo aprendiz… Manny, le cortáis el pelo a la señora Covenant. Y cuando estés a punto de acabar, él se alejará un instante para ir a ver esa maravillosa puerta... Créeme, te quedará eternamente agradecido. ¿No es verdad, Manny?

–Eternamente agradecido –confirmó él, poniéndose la gorra.

Gwendaline notó que, vestido así, Manfred estaba realmente atractivo.

–Pues sí... –balbuceó–. Podríamos hacerlo así, sí.

–¡Estupendo! –gritó Oblivia, arrellanándose en una de las butacas de bambú–. Y ahora podemos disfrutar saboreando este té.

Gwendaline sonrió y, levemente cohibida, le pasó una taza.

Pero cuando le tocó el turno de servirse el té, se detuvo. Por las ventanas entraba un lejano pero insistente sonido, como si alguien estuviera tocando de forma obsesiva una campanilla.

También Oblivia lo oyó.

–¿Qué es eso? –preguntó.

Gwendaline se quedó escuchando unos instantes y después se encogió de hombros.

–No sé. Pero si la estación estuviera todavía abierta, diría que es la campanilla del viejo paso a nivel.

Jason, Julia y Rick irrumpieron en la habitación del tablero de control, donde Fred Duermevela daba saltitos histérico.

–¿Qué está pasando? ¿Qué habéis hecho? –repetía, llevándose las manos a la cabeza.

El tablero daba vueltas como una cinta transportadora y la lucecita de la vía 3 parpadeaba frenéticamente.

–¿Por qué parpadea?

–¡El cambio! –intuyó Rick.

–¿Qué cambio? –gimió Fred.

Sin darle explicaciones, Rick movió la palanca que regulaba el cambio de la vía 3 con la vía principal. La luz dejó de parpadear de golpe.

–Ah, muy bien... –comentó Fred Duermevela, sin perder su expresión aterrorizada.

Nada más acabar de hablar, el tablero de control se puso de nuevo a dar vueltas y las tres luces de las vías del lado opuesto comenzaron a centellear furiosamente.

–¡Oh, no, otra vez! –gimió el hombre, llevándose de nuevo las manos a la cabeza–. ¡Y es todavía peor que antes!

Jason y Julia se fiaron de Rick, que miraba fijamente el dispositivo intentando intuir su funcionamiento.

–Ánimo, Rick...

–¡Ponlo en marcha!

–¡Es solo una idea! –saltó el chico pelirrojo. Después empezó a pensar en voz alta–: Si el cambio de la vía tres parpadeaba porque estaba llegando un tren...

–¿Qué quieres decir con que estaba llegando un tren? –gimió Fred.

Rick pasó el dedo por los carriles de las vías.

–El tren llega a la estación... y luego... prosigue por este lado... y estos tres cambios parpadean porque... tenemos que decidir dónde mandarlo.

–¿Y dónde lo mandamos? –intervino Julia.

Rick se frotaba los nudillos de la mano, mientras las luces centelleantes, rojas como su pelo, se reflejaban en su piel clara.

–Lo mandamos... ¡aquí! –decidió, moviendo dos de las palancas de cambio.

–¿Aquí dónde?

–Al túnel –respondió el chico.

Y el tablero de control dejó de repente de parpadear.

–¿Qué quieres decir con eso de mandarlo al túnel? –saltó Jason, que lo había explorado hacía solo media hora–. ¡El túnel está cerrado!

Rick iba a explicarse cuando un nuevo ruido hizo que los cuatro se giraran hacia la salida. Era como si un torbellino hubiera invadido la sala principal de la estación.

Conteniendo la respiración, salieron corriendo hacia el otro lado para averiguar la razón de todo ese jaleo: el panel de las salidas y llegadas se había puesto en marcha y todas las letras y números disponibles giraban vertiginosamente, sustituyéndose con una rapidez desconcertante. En el vacío de la sala retumbaba un ruido parecido al de un gigantesco mazo de cartas barajado por dedos de hierro.

Después, poco a poco, las letras fueron deteniéndose y el estruendo bajó de intensidad.

–¿Qué es lo que está pasando? –preguntó una vez más Fred Duermevela.

–Pues que Black nos ha dejado un mensaje... –murmuró Jason, mirando hacia arriba.

Las letras del panel se pararon del todo.

–¿Un mensaje?

–¿Y qué significa? –preguntó Julia.

–No tengo ni idea –admitió Rick desconcertado.

–Significa que vamos por buen camino –declaró Jason.

–¡Estáis completamente locos! –exclamó Fred Duermevela antes de leer en voz alta lo que estaba escrito en el panel de las salidas:

> Amigo viajero, si quieres subir,
> tu corazón has de henchir
> mitad de arena y mitad de viento
> y de amigos, créeme, al menos ciento.

Acababa de pronunciar la última palabra cuando en la estación se oyó el eco de un sonido lejano, apagado, que hizo temblar el suelo cubierto de margaritas. Era una vibración sorda, cada vez más cercana, que hizo que cayera una lluvia de polvo de la claraboya situada en medio de la habitación.

–¡Está al llegar! –exclamó Jason, intuyendo al instante lo que estaba sucediendo. Y miró frenéticamente a su alrededor, buscando una vía de escape.

–¿Qué es lo que está al llegar? –preguntó Fred, concentrado aún en la estrofa.

–¡El tren de mil novecientos setenta y cuatro! –exclamó Rick.

Y, en efecto, el ruido era el de una locomotora a toda velocidad. Procedía de poniente, de los bosques de Crookheaven.

–¡Rápido! ¡Abre la puerta que da a los andenes! –le gritó Jason a Duermevela, precipitándose hacia la salida que había frente a la entrada de la estación–. ¡El tren está al llegar!

–Un momento, un momento… –se lamentó Fred, molesto por esa repentina confusión–. ¿Qué tengo que hacer?

–¡Busca la llave y abre esta puerta!

El hombre recuperó el mazo de llaves del bolsillo y caminó tambaleándose entre las margaritas hasta llegar a donde estaba Jason. El traqueteo del tren, mientras tanto, había aumentado de intensidad y ahora hacía vibrar todo el edificio. Las lámparas habían empezado a oscilar como frutos maduros.

–¡Un poco de calma, chicos! –suplicó el funcionario de Kilmore Cove, probando las llaves una a una.

–¡Deprisa!

–Esta no es… Esta tampoco… –repetía Fred, descartando una llave tras otra.

Jason no esperó más. De un salto salió de la estación, pensando que tardaría menos en dar toda la vuelta al edificio que en esperar a que Duermevela consiguiera abrir la puerta. Atravesó el prado de margaritas, se precipitó fuera y allí dobló la esquina del edificio en un abrir y cerrar de ojos.

Casi había llegado al andén cuando un torbellino de aire le cortó la respiración.

Un enorme bulto oscuro pasó como una flecha por delante de él, dejándolo con la boca abierta.

Jason se tiró al suelo y todo lo que consiguió ver fue un bulto negro y reluciente al mismo tiempo, compacto y rapidísimo, que desaparecía a lo largo de la vía despidiendo una ráfaga de aire caliente.

El tren había pasado por la estación de Kilmore Cove sin detenerse.

–¿Lo habéis visto? –preguntó Jason a los otros, que mientras tanto habían llegado hasta allí.

–No –respondió Julia–. ¿Y tú?

–Solo una mancha oscura que se dirigía hacia ese lado. Ha pasado por delante de mí como un rayo.

Rick se lanzó a las vías.

–¡Pues, entonces, vamos!

–¡Pero no lograremos alcanzarlo nunca! –protestó Julia.

–Lo hemos mandado a las vías del túnel –le recordó Rick–, ¡y el túnel está cerrado!

–¡Pues, entonces, tendríamos que haber oído ya el choque! –exclamó Jason, echando a correr por las vías en busca de Rick.

Antes de salir corriendo detrás de ellos, Julia puso una mano sobre los raíles.

No se sentía ninguna vibración.

–¡Chicos! ¡Eh, chicos! –masculló Fred Duermevela a sus espaldas, intentando inútilmente llamar su atención–. ¿Qué tengo que hacer con el tablero de control?

Peter Dedalus
Cuaderno:
QUINTO
Título:
EN BUSCA DE CLIO
Proyectista:
PETER DEDALUS
Capítulo:
19

Corriendo a lo largo de las vías, Jason, Julia y Rick tardaron solo unos cinco minutos en alcanzar la colina. Las vías desaparecían en la oscuridad, engullidas por el círculo negro del túnel.

Jason, Julia y Rick se detuvieron justo antes de entrar, sin saber si continuar o no. Tenían la impresión de estar ante una boca abierta, invadida por la maleza y por columnas de plantas trepadoras que se balanceaban en la corriente.

–Así que decís que está allí dentro… –murmuró Jason.

–No puede estar en ningún otro sitio –le secundó Rick.

–Si existe –puntualizó Julia, molesta por la hierba que le pinchaba los codos.

Jason se puso en cuclillas al lado de las vías para encender el candil que había encontrado. Estuvo trajinando con el encendedor y la mecha, hasta que se formó una nube negra de olor nauseabundo.

–¿No podías haber cogido una linterna? –protestó su hermana.

Jason resopló, sin dejar de trajinar.

Después consiguió transformar la pestilente nube en una lucecilla rojiza.

–¡Lo conseguí! –exclamó radiante.

Saltó por encima de los raíles y fue el primero en adentrarse en la oscuridad.

Julia y Rick lo siguieron, intentando distinguir algo.

–¿Ves algo, Jason? –preguntó Julia después de dar algunos pasos.

–Solo piedras y raíles.

–¿Cómo será de largo? –insistió la chica.

–No lo podemos saber –respondió Rick–. Sabemos solo que los raíles no salen por el otro lado de la montaña. Y por lo tanto…

Dejó la frase suspendida en el aire.

Jason levantó el candil.

–Caray… –murmuró–. ¿La veis también vosotros?

Julia se giró de golpe hacia Rick.

–¡Existe de verdad! ¡Tenías razón!

Rick sonrió, posó su mano en la de Julia y clavó la mirada ante él, en las vías, allí donde la locomotora perdida de Black Vulcano despedía destellos metálicos, a duras penas difuminados por el polvo.

–La estrofa que ha aparecido escrita en el panel… –murmuró Rick, deteniéndose delante de la escalerilla– decía que para subir a este tren hacía falta tener el corazón lleno la mitad de arena y la mitad de viento.

–*Y de amigos al menos ciento* –citó Julia.

–Y eso, en vuestra opinión, ¿significa algo?

Los chicos contemplaron la silueta reluciente de la locomotora, que parecía jadear sobre los raíles como un animal al acecho.

–Yo creo que no era un enigma –dijo Jason–, sino un poema.

–¿Y cómo lo sabes?

–Porque si no, no tendría sentido –dijo–. Es como lo que hemos hecho esta mañana en la clase de miss Stella. Son versos con sentido figurado. Las palabras no significan lo que parece.

–Y, entonces, ¿qué significan?

–Bueno, hay que interpretarlas... –respondió Jason en dificultades–. Algo así como que la arena no es arena, sino...

–... la memoria. Algo que se ha acumulado con el tiempo, algo sólido y concreto –intervino Rick.

–¡Muy bien! ¡Bravo!

–Pero es algo que al mismo tiempo no pesa –continuó Rick–. Porque el viento, que es la imaginación, puede despertarla y llevarla hacia lo alto, hacer que viaje lejos. Y después el viento mismo, en contacto con la arena, se calma... y puede encontrar así su equilibrio.

Los dos gemelos se quedaron mirándolo fijamente con la boca abierta.

–Mientras que los cien amigos –concluyó Rick impetuoso– no son en realidad cien, sino que son todos los sentimientos y emociones posibles. Quienes suban a bordo de esta locomotora, dice Black, deberán hacerlo con el corazón henchido de estas tres cosas.

–Ah, vale –dijo Jason al final–. Pues, entonces, yo puedo subir.

–No sabía que fueras poeta... –murmuró Julia, alborotándole el pelo rojizo.

–Bueno, no lo sabía ni siquiera yo –respondió él.

«Es que tengo el corazón más henchido de lo normal», le habría gustado añadir.

Intentó comunicárselo solo con los ojos, mirándola fijamente en la penumbra del túnel.

Subieron a bordo por la escalerilla lateral. Rick, el poeta, el primero, Julia después, y Jason el último. La locomotora era de acero, pulido como la superficie de un diamante, y echaba humo como si respirara.

Rick abrió la pequeña puerta que se encontraba en lo alto de la escalera y entró en la locomotora. Era menuda, con moqueta roja, unos mandos de hierro oscuro y unos indicadores redondos que parecían observarlos. Un montón de pequeñas palancas brotaba del suelo como un rígido ramo de flores. Cada palanca se distinguía de las demás por el símbolo que llevaba grabado.

Una pequeña puerta acristalada dividía la locomotora de un minúsculo vagón, con capacidad para muy pocos pasajeros. En la pared había una vieja fotografía en la que se veían tres hombres posando delante de una locomotora: Black Vulcano, Peter Dedalus y Leonard Minaxo, los dos últimos mucho más jóvenes de como los habían conocido los chicos.

–Han debido de sacarla antes del percance con el tiburón... –observó Jason, notando que en la foto Leonard no llevaba el parche en el ojo.

–Un percance decididamente sospechoso... –comentó Rick–, dado que en estas aguas no hay tiburones.

–Pues sí –gruñó Jason, que no tenía la mínima idea de dónde vivían en realidad los tiburones.

Los tres estaban mirando a su alrededor en busca de alguna pista, cuando llamó su atención la puerta del fondo del vagón, que había conectado con los demás vagones, si estos hubieran existido.

–Chicos... –murmuró Jason en ese momento–. Este debe de ser mi día de suerte.

–¿Por qué?

–Y con esta van dos… –respondió él, poniéndose en cuclillas delante de la puerta y empezando a pasar la mano por encima–. ¡Otra Puerta del Tiempo!

–¿Estás seguro? –le preguntó su hermana.

–Absolutamente seguro.

–No cabe la menor duda –confirmó Rick, acercándose a la puerta e intentando abrirla empujando–. Cerrada, naturalmente. Y, naturalmente, sin llave.

–Es la primera Puerta del Tiempo que se puede mover –observó Julia–. Quiero decir: no está construida en la pared de una vieja casa. ¡Si hubiera vías suficientes podríamos llevarla a cualquier sitio!

–Es verdad… –murmuraron los dos chicos.

–Y esta es la razón por la que Black quiso esconderla tan bien.

–¿Tú crees?

–¡Pues claro! –respondió Jason–. ¿Te acuerdas, Julia, de lo que decía el libro? Que una de las puertas estaba apoyada en la parte de atrás de un carro.

–¡Es verdad!

–¿Y cómo se arrastraban los carros antes de la invención del tren de vapor?

–Con caballos –respondió Rick.

–Exacto.

–Entonces, ¿esta… –intuyó Julia– es la puerta… del caballo?

Jason asintió.

–Es como nos dijo Peter. Black tenía la llave del caballo. Y esta es la puerta que abrió. En el momento de marcharse programó el último viaje de su locomotora, la escondió en una vía muerta en los bosques de Crookheaven y traspasó la puerta. Pero antes encomendó a una persona de la que nadie podía sospechar como Fred Duermevela la tarea de hacer desaparecer todas las huellas e inicializar los números. Así, incluso si alguien como nosotros hablaba con Fred y conseguía mover la locomotora, habría encontrado solo un poema de despedida y… una puerta cerrada.

–Además, esta puerta no se podrá abrir hasta que no regrese quien la ha traspasado…

Jason llamó a la puerta.

–Pero seguimos sin saber adónde lleva. Y, por tanto, sin saber tampoco adónde ha ido a parar el encargado de custodiar las llaves.

–Pero a lo mejor… –murmuró Julia–. A lo mejor resulta que la respuesta a dónde lleva esta puerta se encuentra justo aquí, en esta locomotora… tan especial. ¿Os acordáis de las paradas indicadas en el horario?

–Sí. Las habían tachado.

–Desde que ha empezado esta aventura seguimos indicaciones borradas. ¡Como en Egipto! –exclamó Julia.

–Pues es verdad. Como con los registros cancelados de la Casa de la Vida… –recordó Jason, dedicando un recuerdo melancólico a Maruk.

–¿Qué sugieres que hagamos? –preguntó Rick a Julia.

La chica dio una pirueta.

–Estamos a bordo del tren más extraordinario del mundo, un tren que quizá pueda llevarnos a un lugar que nosotros ni siquiera podemos imaginar…

Rick se mordió los labios.

–¿Por ejemplo?

–No tengo ni idea.

–¿Y cómo? –la apremió su hermano.

–¿Intentándolo? –sugirió Julia–. Por ejemplo… –Se puso en cuclillas para observar mejor los símbolos que servían para diferenciar cada una de las palancas que sobresalían junto a los mandos de la locomotora. Tras unos segundos, sonrió.

–¿De qué te ríes?

–Me río porque vamos por buen camino. Seguro. No son símbolos normales. ¡Son los caracteres del Disco de Festo!

Rick y Jason se sentaron a su lado en el suelo.

Julia tenía razón: reconocieron los jeroglíficos de la caligrafía secreta que Ulysses Moore había usado para dejarles mensajes. La caligrafía secreta que utilizaban él y sus amigos.

–Y ahora, decidme, dado que no tenemos con nosotros el *Diccionario de las lenguas olvidadas*… –se preguntó Rick–, ¿dónde puede llevarnos esta locomotora?

Jason se concentró. Se había aprendido de memoria buena parte de las letras del Disco de Festo, así que eligió una de las palancas y dijo:

–En esta está escrito: «Al principio».

Los chicos se miraron.

Era un destino fascinante y aterrador al mismo tiempo, y Julia sintió que se le ponían los pelos de punta.

–¿Queremos de verdad saber dónde empezó todo? –preguntó Jason con un hilo de voz.

Rick asintió y puso una mano a su amigo en el hombro. Julia puso la suya en el otro.

–¡Vamos al principio! –empujó la palanca Jason.

Y la locomotora se puso en marcha.

Peter Dedalus
Cuaderno:
QUINTO
Título:
BAJO LA SUPERFICIE
Proyectista:
PETER DEDALUS
Capítulo:
20

Leonard apagó el motor de su barca en medio del mar y dejó que cabeceara al ritmo lento de la corriente. La costa de Kilmore Cove no era sino una línea oscura en el horizonte y las nubes coronaban el cielo de cándidas almohadas. Había aún mucha luz.

El guardián del faro fue a popa, desató la amarra del ancla y la lanzó después por la borda. Empezó a sondar la profundidad del mar. Cinco, diez metros. Veinte. Treinta. Cuarenta. Cuarenta y seis. Y el ancla tocó el fondo.

–Hemos llegado –murmuró Leonard.

Solo unos cuantos metros más y la amarra no hubiera bastado. Volvió al camarote y consultó por última vez la carta de navegación. Nunca había bajado a tanta profundidad. Y aunque conservara un espíritu juvenil, ya no era ningún niño.

Suspiró y dijo:

–Ok, vamos a probar.

Se puso el traje de buzo, se echó el pelo hacia atrás y se colocó la máscara, prestando atención a ajustársela perfectamente a la frente. Luego se puso el chaleco hinchable que conectó a las botellas y se calzó las aletas. Se sujetó el cuchillo a la cintura y probó la linterna submarina. Por último, se ató el reloj y el profundímetro a la muñeca para poder calcular las pausas de descompresión a la vuelta, y se cargó a la espalda las dos botellas de 250 atmósferas.

Caminando como un pato, llegó hasta el borde de la barca y dio un largo paso fuera: el paso del gigante.

–A nosotros dos, maldita llave –dijo antes de meterse en la boca el tubo y quedarse solo con el sonido de su respiración.

Leonard aleteó cabeza abajo, orientándose gracias a la diagonal negra de la amarra del ancla. Descendió derecho como un huso en el silencio del mar. Negro como las aguas más profundas, se sumergió dejando tras de sí una estela de burbujas plateadas que subían a la superficie.

Pasó a través de un banco de peces azules, que se abrió a su paso como un abanico enloquecido. Bajó y siguió bajando, entre eufórico y asustado. La oscuridad lo envolvía, difuminando los reflejos de la máscara y las botellas, transformando los dorsos de colores de los peces en sombras de distintas tonalidades.

Encendió la linterna y dibujó ante sí un pálido círculo de luz líquida.

Controló el reloj y el profundímetro.

Ocho minutos. Treinta y tres metros.

Siguió bajando.

Llegó al fondo de manera casi inesperada. Era una extensión de roca oscura partida en grandes bloques entreverados de hendiduras y zonas de arena clara.

Leonard se estabilizó, intentando orientarse en aquel desierto submarino.

Eligió una dirección al azar y empezó a recorrer el fondo, describiendo en torno a él círculos cada vez más amplios con la linterna.

Peces, roca oscura, arena, hendiduras.

Nada raro.

Trazó círculos y más círculos. Pasaron veinte minutos.

Miró el reloj y controló la carga de las botellas.

Nada raro.

Siguió buscando.

Diez minutos después, todavía no había encontrado nada interesante. Solo un extenso y monótono paisaje marino, dominado silenciosamente por los peces.

«Cinco minutos más. Después es hora de volver», se dijo, si quería volver a subir con todas las precauciones necesarias.

Pero justo antes de dirigirse hacia la superficie, una sombra estrecha y alargada llamó su atención. Era como una enorme roca, o un larguísimo pez, o quizá el borde de una hendidura submarina.

Leonard miró el reloj.

Le quedaban cuatro minutos y treinta segundos para subir a la superficie.

Decidió ir a ver qué era. Pasó por un foso arenoso y giró por detrás de dos piedras negras parecidas a unos dados gigantescos.

Después se paró en seco.

Empezó a mover la linterna en todas direcciones, sin poder dar crédito a lo que veían sus ojos. Era sencillamente un sueño. El sueño que había perseguido durante años. Apretó el puño, felicitándose a sí mismo por haber vuelto a salir a la mar. Por haberse dejado llevar por la intuición.

«Ahí está –pensó–. Es él.»

Lo había visto y estudiado tanto... y ahora estaba allí, a pocos metros, frágil y majestuoso.

Cuatro minutos.

Pero no podía volver arriba ahora.

Aleteó rozando el fondo, emocionado.

A menos de treinta pasos de donde se encontraba él, en un foso, yacían los restos de un gran velero. Y la sombra que antes había llamado su atención no era más que el mástil cubierto de algas, que apuntaba oblicuo hacia la superficie. La arena había cubierto el casco casi por completo, pero el mástil se erguía en lo alto, inconfundible.

Leonard nadó hasta llegar junto al pecio, provocando la huida precipitada de numerosos pececillos. Luego, finalmente, lo tocó.

Madera. De cinco siglos de antigüedad.

Recorrió de cabo a rabo su majestuoso flanco hasta llegar a la que debía de ser la proa, cuya tablazón parecía haberse conservado intacta. El perfil impreciso de un mascarón asomaba bajo la arena y las incrustaciones.

Al verlo, por momentos Leonard sintió crecer en él una palpable tensión. ¡Todos esos años! Y había estado siempre allí, tranquilo, a cuarenta y seis metros bajo la superficie del mar. A no más de cinco millas de la costa.

Dos minutos para volver a subir a la superficie.

Aunque estaba seguro de saber qué nave era la que tenía delante, Leonard recorrió la proa en busca del punto en el que, por los cuadros que había analizado, debería de encontrarse el nombre. Rascó las incrustaciones de arena con las manos y después extrajo el cuchillo para darse más prisa. La hoja se deslizó sobre la madera resbaladiza hasta rozar una placa de bronce.

Leonard quitó la arena de manera casi frenética.

Y al final iluminó las cinco letras del nombre.

FIONA.

Ahora ya no tenía ninguna duda.

Miró el reloj desconsolado, porque tenía que abandonar la nave justo ahora que la había encontrado, y acarició el casco como para despedirse de ella.

Le quedaba aún un minuto. Intentaría acabar de dar toda la vuelta alrededor del pecio. Allí donde el casco había chocado contra el fondo del mar, vio una profunda hendidura y decidió que esa sería la última curiosidad que intentaría satisfacer antes de subir a la superficie.

Nadó ágilmente, manteniéndose a pocos centímetros del fondo, y apoyó las manos en el borde de la hendidura. De cerca parecía mucho más profunda y limpia, como si hubiera sido justo la causa del hundimiento de la nave...

Treinta segundos.

Leonard iluminó el hueco con la linterna y miró dentro.

Madera podrida, algas, largas pinzas de crustáceos y peces decididamente molestos. No se había equivocado: la hendidura era realmente profunda y llegaba directamente hasta el corazón del casco.

Quince segundos.

A Leonard le pareció que había algo raro en ese corte. Algo poco natural, que merecía medio minuto más de atención... Siempre podía reducir el tiempo de una de las etapas de descompresión, decidió. No sería la primera vez que tenía que volver a la superficie sin sistemas de seguridad.

Iluminó las tablas podridas. Introdujo el busto en la hendidura e intentó reconstruir lo que había sucedido. Después vio algo que brillaba debajo de él. Quitó la arena con las manos. Era un objeto de metal. Un brazalete.

Lo recogió.

Pero no era un brazalete...

Era algo que no podía estar allí.

Leonard sintió que se le cortaba la respiración y, como guiado por un sexto sentido, dirigió de golpe la linterna hacia lo alto. Una explosión de aire salió borbotando fuera del tubo. Si hubiera podido gritar, lo habría hecho. Retrocedió de golpe, instintivamente, y por detrás las botellas fueron a dar contra la madera. Se debatió frenéticamente, intentando salir de allí lo antes posible. La madera se resquebrajó. Leonard dio otro tirón, lo que produjo una segunda explosión de burbujas de aire, hasta que por fin logró liberarse y escapar de allí.

Guardó en el traje de buzo el objeto que había encontrado en la hendidura y se dirigió con decisión hacia la superficie.

Pero no conseguía apartar ni un instante de su mente lo que acababa de ver.

La calavera de un hombre aprisionado en los restos de la nave.

La calavera de un hombre aún vestido con un traje de buzo negro.

Leonard se detuvo a veinticinco metros de profundidad para efectuar la primera parada de descompresión. Intentó calmarse desesperadamente y respirar más despacio, pero no podía. Había consumido una carga mucho mayor de la que habría utilizado en condiciones normales. Y no tenía una reserva suficiente como para permanecer allí abajo los quince minutos reglamentarios. Tenía que subir antes. Tenía que arriesgarse.

Miró el reloj, imponiéndose tranquilidad. ¿Cuánto podría resistir en apnea? ¿Tres minutos? ¿Cuatro? Ya no era un jovencito, pero tenía que conseguirlo costara lo que costase. Tenía que alcanzar la superficie, su barca, la costa, Kilmore Cove.

Por fin había encontrado el velero que había buscado durante años, pero era evidente que no había sido el primero.

¿Quién era el hombre atrapado entre los restos de la nave? ¿Quién?

Leonard miró hacia abajo, intentando memorizar las coordenadas de la nave hundida para liberar su mente y relajarse.

¿Quién era aquel hombre?

De repente lo entendió todo. Y fue como un puñetazo en el estómago.

Leonard negó con la cabeza en las aguas oscuras del mar. Pero la intuición permanecía clavada dentro de él, inmóvil, penetrante.

Controló por enésima vez el profundímetro y el nivel de reserva de las botellas. O intentaba subir, inspirando lentamente el último aire a disposición, o no conseguiría contarlo.

Cerró su único ojo y se abandonó a la corriente, intentando desterrar los pensamientos que se arremolinaban en su interior.

Después volvió en sí, sobresaltado. Algo había llamado su atención. Advirtió un movimiento… una presencia. El agua se desplazó ligeramente. Y una sombra inmensa lo engulló.

Se dio la vuelta.

Y se quedó inmóvil, a veinticinco metros de profundidad, demasiado asombrado para ser capaz de hacer ni un solo movimiento.

Era una ballena.

Peter Dedalus
Cuaderno:
QUINTO
Título:
LA GRUTA
Proyectista:
PETER DEDALUS
Capítulo:
21
Clark Beamish Station

La locomotora salió lanzada fuera del túnel, cortando en dos la tarde de Kilmore Cove. El motor producía un susurro mecánico y un ruido parecido al grito de una persona.

La luz del día fue solo un paréntesis que desapareció tan rápidamente como había aparecido. Cuando la locomotora se paró, habían transcurrido pocos minutos desde la salida. Se oyó un estruendo, como si ago hubiera caído rodando al suelo.

Después el silencio. Y la oscuridad.

Rick, Jason y Julia se asomaron para mirar por la ventanilla.

Oscuridad completa.

–Es de noche –dijo Jason.

–Pues a mí me parece que lo que pasa es que hemos llegado a otro túnel –afirmó Rick, más práctico.

–¿Qué hacemos? ¿Bajamos? –susurró Julia.

–Yo diría que sí.

–Un momento. Razonemos un momento... –Rick pasó revista a los estantes de la locomotora y encontró algunas cosas que pensó que les podrían servir: una linterna, un cohete de señalización azul, un cohete de señalación rojo, un rollo de cinta adhesiva, un bolígrafo, una botella vacía, una caja de cerillas y, para satisfacción suya, una larga cuerda de nailon con un garfio en uno de los extremos.

–¿Estás contento ahora? –le preguntó Jason.

–Solo cuando encuentre una mochila donde guardar todo esto –respondió Rick.

Bajaron lentamente la escalerilla y descubrieron que se encontraban dentro de una gran cavidad natural. No era un túnel: era una gruta.

Junto a la locomotra había una acera, un paso estrecho que desaparecía en la oscuridad.

Jason encabezaba el grupo. Sobre él sentía la presencia invisible de una gran cantidad de aire húmedo y lejanos chorros de agua, pequeños aleteos y ecos apagados. El motor caliente de la locomotora estaba envuelto en una capa de minúsculas gotas de rocío.

–¡Jason, espera! –lo llamó Rick, que permanecía sin moverse cerca de la locomotora–. Coge la linterna.

–Rick tiene razón –intervino Julia, que avanzaba a tientas en la oscuridad–. ¡Espera!

Jason, movido por una impaciencia y una curiosidad que lo devoraban, llegó hasta la pared de la gruta, la tanteó y, cuál no sería su sorpresa, cuando descubrió lo que parecía ser un interruptor de luz.

Lo encendió.

En la oscuridad de la gruta se iluminó una procesión de faroles de luz tenue y crepuscular, que trepaban a lo largo de una hilera de empinados escalones.

–¡Caramba! –murmuró Julia, contemplando la inmensidad de la gruta donde se encontraban.

Los faroles fueron encendiéndose uno tras otro, como setas lechosas, trazando un sendero que serpenteaba hacia lo alto. Del invisible techo colgaban las blancas rebabas de las estalactitas, mientras que en el suelo se erguían triunfantes las estalagmitas. Húmedas velas similares a garzas blancas encuadraban los espacios umbríos, las infinitas y delicadas curvas de roca, las hondonadas y las convexidades de agua y piedra, los abismos vertiginosos y las formaciones fantásticas, parecidas a casas de duendes, a árboles de cal, a torres de minúsculos brujos, a miles de dedos amarillentos y húmedos entrelazados, que por doquier emergían de la oscuridad suplicantes.

–Ya no me hace falta la linterna, Rick –sonrió Jason, contemplando el inmenso anfiteatro de roca que lo rodeaba.

Ese era el lugar del principio.

Empezaron a subir la primera rampa de escalones y, después de girar por entre dos estalactitas que parecían montar guardia, se encontraron ante una especie de jaula de hierro forjado, decorada con delicados motivos florales. Colgaba de un cable metálico que desaparecía en lo alto.

A la tenue luz de los faroles, en el silencio irreal de la gruta, a Jason le pareció adivinar la silueta de una polea, que se entreveía un poco por encima del sudario negro que los circundaba. Se acercó a la jaula, abrió las dos puertas y descubrió que su interior estaba tapizado con la misma moqueta roja que la locomotora.

–¿Quién quiere coger el ascensor? –preguntó.

Julia y Rick miraron con suspicacia el cable metálico y la caja negra de minúsculas dimensiones.

–Yo casi preferiría subir andando… –decidió Julia.

Rick no dijo nada. Tenía la frente perlada de sudor y un viejo bolso de viaje del siglo pasado colocado en bandolera sobre los hombros.

–Pues como si no hubiera dicho nada –refunfuñó Jason, que volvió a cerrar con un chirrido las puertas del ascensor.

Subieron por las escaleras, giraron y siguieron subiendo, casi siempre en silencio, contando los pasos que separaban un farol del siguiente. Caminaban a cierta distancia los unos de los otros, de manera que Rick, que iba el último, a menudo perdía completamente de vista tanto a Jason como a Julia, aunque seguía oyendo sus pasos. Solo cuando se acercaban a los faroles, Rick volvía a ver las espaldas arqueadas de los dos gemelos envueltas en la luz crepuscular.

La subida a la gruta pareció durar una eternidad. Los perfiles de las estalactitas y las estalagmitas eran espectaculares e inquietantes. Y los sonidos del agua, de su respiración y de sus pasos no bastaban para colmar ese espacio oscuro, que se abría a sus espaldas como un abismo insondable.

Al llegar a un estrecho riachuelo que atravesaba el sendero, Rick les dijo a los otros que se detuvieran y llenó la botella de agua.

La probó y le pareció fría, densa y arenosa. Luego pasó la botella a Julia y, por último, a Jason.

–¿Qué sitio es este? –preguntó Julia.

–Es un sitio maravilloso –respondió Rick, enjugándose la frente con el dorso de la mano–. Realmente maravilloso.

–Sí, pero ¿dónde está?

–Está donde ha comenzado todo –contestó Jason.

Rick recuperó la botella y la volvió a llenar por última vez antes de preguntar:

–¿Qué todo?

–Todo lo que tenemos que descubrir –respondió Jason, que emprendió de nuevo el ascenso.

Mil escalones y cien vueltas después, Jason llegó a un rellano desde el que asomaba a la oscuridad un gancho metálico con forma de garza, que llevaba colgando en el pico la cuerda del ascensor.

–Creo que ya hemos llegado... a la cima de la gruta –murmuró, apoyándose en el parapeto.

Julia miró hacia delante, allí donde acababan los faroles y donde el techo de la cueva descendía vertiginosamente.

–¿Qué hay ahí delante? ¿Una puerta?

–No. Parece una cancela –respondió Jason–. Una cancela cerrada.

Rick llegó poco después y arrojó el viejo bolso al suelo, desencadenando una cadena de ecos.

–Perfecto. Una cancela cerrada. ¿Y ahora?

–Pues vamos a ver si podemos abrirla –respondió Jason.

La cancela no cerraba el paso completamente. El camino por el que habían subido hasta aquel punto pasaba junto a ella y discurría por el lado derecho hasta una gruta lateral, estrecha y baja, que parecía estar ya a pocos metros de la superficie.

La cancela, negra e imponente, estaba precedida por tres escalones de mármol blanco y coronada por un arquitrabe profusamente esculpido. A ambos lados, dos pequeñas columnas subían hasta encontrarse en un arco ojival, en el centro del cual había un adorno de piedra con forma de pergamino con cinco letras esculpidas: MOORE.

Debajo, en el mármol, estaba grabado el lema latino *Curiositas anima mundi.*

–La curiosidad es el alma del mundo... –tradujo Julia.

–El lema de la familia Moore –comentó Jason–. O sea... donde todo dio inicio.

Los chicos se agarraron a las barras verticales de la cancela. Rick intentó iluminar con la linterna lo que había al otro lado: un corredor enlosado de piedra clara, mitad natural y mitad obra del hombre.

–¡Mira allí! –exclamó Jason de repente, y a continuación cogió a Rick del brazo para dirigir el haz de luz hacia unas letras que le había parecido ver grabadas en el muro.

Efectivamente, donde indicaba el chico había una placa colgada en mitad de la pared.

Unos angulosos caracteres rezaban:

> Aquí reposan
> junto a nuevas curiosidades
> las antiguas generaciones
> de la familia Moore.
> Oriundos de Londres,
> se establecieron en Kilmore Cove,
> el lugar que eligió
> el patriarca de la estirpe, Xavier,
> que embellecieron
> el doctor Raymond Moore
> y madame Fiona,
> y que perfeccionó, con modestia y fervor,
> su descendiente William.
>
> *Kilmore Cove – Turtle Park*
> *129 – 1580 d.C.*

–¡Esta es la entrada del panteón! –intuyó Rick, mientras Jason leía–. El lugar en el que están enterrados los miembros de la familia Moore. Este es el lugar del que me habló el padre Phoenix.

–¿Esto significa que... nos encontramos bajo Turtle Park? –preguntó Jason.

–Creo que sí.

Los tres chicos se quedaron mirando el corredor blanco que desaparecía en la oscuridad, sin saber muy bien qué decir.

–Si pienso que allí hay personas enterradas, me entran escalofríos... –murmuró Julia–. ¿Por qué no nos largamos de aquí?

–No, yo creo que tendríamos que intentar entrar –replicó Jason–. Creo que muchas de las respuestas que buscamos... podrían estar detrás de esta cancela.

Intentó abrirla empujando. La verja resonó lóbregamente en la gruta, pero no se abrió.

–No hay nada que hacer –resopló.

–A lo mejor deberíamos dejar en paz a los muertos... –comentó Rick con tono lúgubre, empezando a imaginarse impalpables rostros de fantasmas en cada una de las estalactitas que veía.

–Están muertos –respondió Jason–. ¡No pueden hacer nada!

–¡Ojalá pudieran...! –murmuró Rick, pensando de pronto en su padre.

Julia detuvo a su hermano con ademán tranquilo y decidido.

–Jason, no tenemos las llaves para entrar ahí dentro.

–¿Y quién puede tenerlas? –preguntó él, alejándose de la cancela. Sentía una extraña inquietud, un miedo visceral que se asemejaba también a un profundo desencanto.

–Seguramente, el antiguo dueño, como todas las demás llaves de Villa Argo –respondió Julia–. Podemos pedírselas a papá. O a Nestor.

Rick pasó la linterna a Jason y se alejó unos pasos. No conseguía soportar el aire frío que parecía salir del corredor del panteón.

Llegó hasta el principio del camino que discurría por el lado derecho de la cancela y se quedó allí, mirando hacia lo alto.

Julia permaneció aún algunos segundos con su hermano y después, intuyendo la agitación de Rick, fue hacia él.

Lo cogió del brazo.

–¿Vamos? –preguntó dulcemente. Estaba a punto de decir algo, pero las palabras no le salieron de la boca.

Se dio la vuelta hacia la gruta, envuelta de nuevo por un manto de oscuridad. Miró el gancho con forma de garza. Lo miró con mucha atención.

Y se dio cuenta de que, con un lento chirrido, el cable que sostenía la jaula de hierro se estaba enrollando sobre sí mismo.

Alguien había puesto en marcha el ascensor.

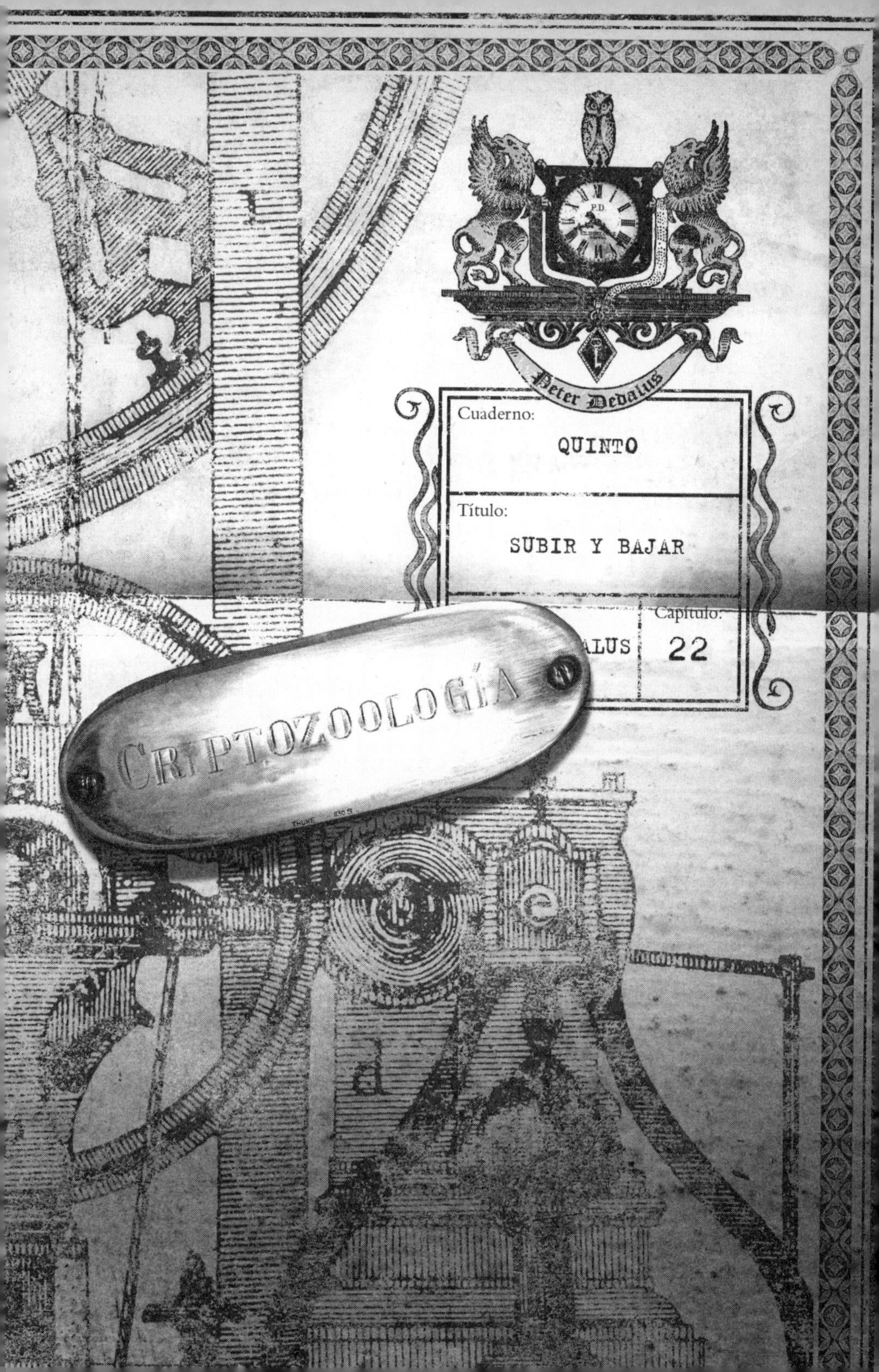
Peter Dedalus
Cuaderno:
QUINTO
Título:
SUBIR Y BAJAR
Capítulo:
22
CRIPTOZOOLOGÍA

Nestor lanzó un par de ojeadas nerviosas al reloj. Los chicos llevaban fuera demasiado tiempo y deberían haber vuelto ya hacía un buen rato. Pero, por suerte, nadie le había hecho preguntas. La señora Covenant estaba completamente absorbida por las obras de la casa y el marido había llamado por teléfono a media tarde para confirmar que la carretera era impracticable y que volvería a la hora de cenar con el arquitecto.

–Una pérdida de tiempo –dijo Nestor hablando consigo mismo–. Solo una enorme pérdida de tiempo.

Entró cojeando en su pequeña casa, a la sombra de los árboles centenarios del jardín, y se detuvo ante un espejo. Hundió la mirada en sus propios ojos profundos y se preguntó:

–¿Les tenía que haber contado lo de Leonard?

Sin responderse, se puso a remendar algunas prendas de vestir. Mientras lo hacía, sacudía la cabeza como un viejo caballo desbocado. Intentaba imaginar lo que estarían haciendo los chicos en el pueblo y no conseguía tranquilizarse.

Después de haberlos visto volver de Venecia en aquel estado se había asustado, y había pensado que había que poner freno al curso de los acontecimientos. Habían corrido demasiados riesgos para encontrar a Peter. Y no tenía ninguna intención de que se repitiera lo mismo con Black.

Además, cuanto más pensaba en ello, más crecía en Nestor una clara sospecha sobre el lugar al que Black había llevado todas las llaves.

Si lo conocía bien, y conocía bien su proverbial capacidad de disfrutar de la vida, era probable que entre océanos tempestuosos, hielos eternos, selvas, montañas nevadas y… un pacífico jardín de las delicias hubiera elegido este último. Que, además, era el lugar que Black conocía mejor.

Nestor sabía que las suyas eran simples suposiciones y que tenían que ser los chicos los que decidieran, los que se convencieran, los que quisieran seguir indagando para resolver el misterio.

–Tienen que decidir los chicos, claro... –murmuró, colocándose de nuevo ante el espejo–. Pero a lo mejor les puedo echar una mano.

Se caló el gorro de lana, salió de casa, cruzó el patio y llegó hasta la entrada trasera de Villa Argo.

«Justo a tiempo», se dijo.

Acababa de doblar la esquina cuando un coche azul con un par de personas dentro pasó por la verja de entrada de Villa Argo y fue a plantarse en medio del patio. Nestor frunció el entrecejo. Oyó taconear a la señora Covenant hasta el umbral y preguntar:

–¿Gwendaline? ¿Es usted? Encantada. Covenant.

«La peluquera», pensó entonces Nestor, tranquilizándose.

Se deslizó en el interior de la casa. Mientras subía la escalinata acarició un par de marcos de los cuadros que estaban colgados a lo largo de la escalera y se dirigió a la biblioteca. Una vez allí lanzó una mirada a sus espaldas y, después de haberse asegurado de que estaba completamente solo, giró las cuatro placas de bronce de las estanterías de los libros de historia.

La pared entera de la biblioteca emitió un clac imperceptible. El viejo jardinero miró una vez más tras de sí y luego se adentró en el estrecho pasadizo secreto que acababa de abrirse.

Al otro lado había una minúscula habitación sin ventanas, iluminada por una bombilla que se encendía cada vez que se accionaba el mecanismo. Una escalera tortuosa que subía a la habitación de la torre y una mesilla baja, en la que estaban apiladas algunas maquetas de barcos y una decena de cuadernos negros, completaban la decoración.

Nestor se rascó rápidamente la barba; luego sacó de entre las diferentes embarcaciones pacientemente reconstruidas en sus mínimos detalles una especie de dromedario de trapo, ricamente enjaezado.

–Aquí está la nave del desierto –dijo el jardinero–. Y su diario de a bordo.

Se acuclilló junto a los cuadernos, hojeó un par rápidamente, y al fin encontró el que buscaba y se lo guardó en el bolsillo.

Estaba a punto de subir los peldaños de la escalera cuando, como guiado por un extraño presentimiento, volvió sobre sus pasos. Pegó el oído en la parte interior de los estantes de la biblioteca y escuchó.

Le había parecido oír una voz familiar, muy lejana. Sacudió la cabeza para alejar sus dudas. Después se agachó y sacó de debajo de los peldaños de la escalera una vieja tela de un cuadro enrollada.

–Te llevo a que te dé un poco el aire... –le dijo Nestor al retrato de Ulysses Moore, que en un tiempo colgaba de la escalera. Se puso la tela bajo el brazo y subió las escaleras.

Abrió la segunda puerta del pasadizo secreto y apareció en la habitación de la torre. Como siempre, la ventana que daba al parque se abrió de golpe.

Nestor se apresuró a cerrarla, con la esperanza de que nadie hubiera oído nada.

Después lanzó una ojeada al coche de la peluquera: parecía un caramelo de azúcar con cuatro ruedas.

Como no notó nada de particular, dejó el cuaderno y el dromedario en mitad de la mesa y salió de la torre, cerrando la puerta de espejo tras de sí.

Estaba a punto de empezar a bajar la escalera cuando oyó unos ruidos que procedían del piso de abajo: la señora Covenant y la peluquera estaban eligiendo la habitación más adecuada para cortarse el pelo.

Nestor se rascó de nuevo la barba; luego se dirigió hacia el cuarto de los chicos. Se detuvo bajo la trampilla que llevaba a la buhardilla, bajó la escalerilla y trepó hasta la polvorienta tranquilidad del desván.

Una vez allí, recogió la escalerilla y luego cerró la trampilla, moviéndose en esa oscuridad familiar con su ya consumada habilidad.

Fue hasta el estudio de Penelope, donde estaban el maniquí con el gabán y el sombrero de capitán, y apoyó la palma de la mano en la empuñadura del sable.

Suspiró y luego se dirigió hacia la pared del lado opuesto de la habitación.

Clac, hizo un segundo mecanismo.

Un minuto después estaba en el jardín.

Solo había un modo para describir la expresión del rostro de Oblivia Newton reflejado en el espejo dorado del salón de Villa Argo: triunfal.

La mujer se había deslizado dentro de la casa con la facilidad con que una pajita entra en un vaso de cóctel tropical. Gracias a Gwendaline y Manfred, la señora Covenant era ahora completamente inofensiva y ni los chicos ni el terrible jardinero, por suerte, se habían dejado ver por allí.

Así había logrado introducirse finalmente en Villa Argo, la casa que más que ninguna otra en el mundo habría querido que fuera suya.

La casa en la que, hasta aquel día, le habían impedido entrar.

–Estoy dentro –dijo, haciendo una reverencia ante el espejo.

Le había bastado echar una ojeada al salón, repleto de antiguallas, para calificar la decoración de Villa Argo de recargada, barroca, extremadamente hortera e increíblemente excitante.

Oblivia acarició un pequeño sofá de seda amarilla y se entretuvo siguiendo el contorno de un jarrón chino, antes de asomarse a la cocina, de la que provenía una alegre cháchara: la dueña de la casa y Gwendaline habían decidido que lo mejor era ponerse allí.

Oblivia se escondió detrás de la puerta e intentó intercambiar la mirada con Manfred. Al verlo sintió una fugaz compasión: su despiadado perro guardián tenía restos de champú en los antebrazos y en sus inseparables gafas de espejo, detrás de las cuales intentaba en vano ocultarse. Sin embargo, a pesar de cierta rigidez de movimientos, parecía encontrarse perfectamente en su salsa en el papel de aprendiz de peluquería. En ese momento sostenía delicadamente la cabeza de la señora Covenant encima de una palangana azul en la que, en otras circunstancias, la habría ahogado con toda tranquilidad.

A su lado, Gwendaline estaba ametrallando a la señora de anécdotas, pero su ojo avispado y atento no se perdía nada de lo que estaba sucediendo en torno a ella.

En cuanto vio a Oblivia, Manfred abandonó un pelín rudamente la nuca de la señora Covenant y, gruñendo algo sin demasiados miramientos, fue hasta ella.

–¿El jardinero? –le susurró en primer lugar.

Oblivia le acarició teatralmente el rostro y, como siempre, sus uñas moradas fueron a enredarse en la barba.

–Manfred, tesoro... no te preocupes por el jardinero. Parece que no se ha dado cuenta de nuestra presencia.

Él asintió poco convencido. Ignoró el dolor de la mejilla y se colocó bien la gorra de béisbol.

–Mejor así.

–Yo voy a buscar la puerta –dijo la mujer.

Manfred se dio la vuelta hacia Gwendaline.

–Acabo con el tinte y voy.

–¡Pero quién te ha visto y quién te ve! –bromeó Oblivia, insólitamente alegre–. Te dejo solo un día y ya cambias de jefa.

Manfred resopló nada divertido.

–No tardo nada.

Oblivia asintió.

–No tengas prisa, tesoro. Debe de haber una biblioteca por algún lado. Yo empiezo a buscar por ahí.

Después de haber dejado a Manfred con sus tareas, Oblivia pasó revista al piso de abajo, asegurándose de que todas las puertas que daban a la calle estuvieran bien cerradas. No tenía ningunas ganas de que alguien la molestara durante su búsqueda.

Abriría solo cuando llegaran los chicos, esos mocosos que seguro tenían las llaves de la Puerta del Tiempo. La *verdadera*, la más antigua, como había dicho Peter Dedalus.

Oblivia no encontró la biblioteca, así que decidió seguir buscándola en el piso de arriba.

–¡Oh, aquí están todos los señores Ulysses Moore! –susurró al subir la escalera, en cuyas paredes colgaban los retratos de los antepasados de la familia–. Toda la genealogía de canallas que quisieron quedarse con las Puertas del Tiempo.

De la escalera a la biblioteca la distancia era corta.

Oblivia observó con una ojeada todos aquellos libros y sintió que se apoderaba de ella un ansia irrefrenable, una opresiva angustia ante la infinidad de palabras impresas en esas páginas.

–¿Para qué sirve este sitio? –dijo, obviando el dolor de cabeza que la atenazaba ante cualquier forma de lectura.

–¿A qué placas te referías, Peter? –dijo luego en voz alta, intentando recordar las instrucciones que había dejado escapar.

Se acercó a algunas de las estanterías de la habitación e intentó girar algunas placas, pero no obtuvo ningún resultado.

–«Criptozoología»... –leyó con dificultad en una etiqueta–. Pero ¿se puede saber qué significa?

Estaba empezando a ponerse nerviosa, cuando la placa de bronce de «Historia Antigua» salió delicadamente del perno central y lo mismo hicieron las tres que estaban a su lado.

Oblivia sonrió:

–Que levante la mano quien sepa cuál es la diferencia entre Historia Moderna e Historia Contemporánea.

Cuando el estante se entrecerró, miró dentro y preguntó:

–¿Cucú? ¿Hay alguien ahí?

Peter Dedalus
Cuaderno:
QUINTO
Título:
EL DESCONOCIDO
Proyectista:
PETER DEDALUS
Capítulo:
23

Quienquiera que fuese estaba a punto de llegar.

De las profundidades de la gruta.

En ascensor.

Y solo Julia parecía haberse dado cuenta.

–¿Todo bien? –le preguntó Rick al ver que se ponía pálida.

El chirrido del cable suspendido en el vacío ocupaba su mente por completo. No conseguía apartar los ojos del reluciente reflejo del metal que se enrollaba, lentamente, sobre la polea.

–¿Julia? –insistió Rick–. ¿Todo bien?

La chica dejó que él la rozara y luego se abandonó completamente en sus brazos.

–El ascensor –consiguió susurrar, demasiado asustada como para levantar la voz.

Rick se giró y se dio cuenta de que alguien lo había puesto en marcha.

Abrazó a Julia como un salvavidas.

–¡Jason! ¡El ascensor! –exclamó.

El chico perdió súbitamente todo interés por la cancela y miró aterrorizado la maraña de cable reluciente que se enrollaba en la polea. Pero, en lugar de huir, volvió corriendo sobre sus pasos. Llegó al parapeto y miró hacia abajo con la linterna encendida.

La gruta era demasiado grande como para poder iluminarla con ese pequeño haz de luz, que irremediablemente iba a difuminarse en la oscuridad. Pero era suficiente para enfocar el techo de la jaula de hierro negro que seguía ascendiendo.

–¡Jason, vámonos de aquí! –gritó Rick, estrechando a Julia.

Jason entrecerró los ojos para intentar vislumbrar algo entre los agujeros del hierro. No conseguía ver bien, pero una sombra le puso el corazón en un puño. Había de verdad alguien, o algo, dentro de esa jaula…

–¡Jason! –lo volvió a llamar Rick.

–¡Id vosotros! ¡Hacia arriba!

Rick y Julia no se lo hicieron repetir dos veces y se alejaron por el camino que llevaba fuera de la gruta.

Jason dio unos pasos hacia atrás, hacia la cancela, buscando el mejor sitio para esperar. No quería ponerse demasiado lejos de la apertura de las puertas, pero tampoco demasiado cerca. Y tampoco quería tener la cancela tras de sí, con ese corredor lechoso que llevaba a las sepulturas.

Se agazapó con sigilo detrás de una estalagmita y esperó. Estaba decidido a esperar a que el ascensor acabara su recorrido. Si ese era el principio, se dijo, entonces era allí donde empezaba todo.

Jason oyó los últimos pasos de Rick y de su hermana que se alejaban a lo largo del camino.

Estaba solo.

La jaula de hierro apareció por fin. Primero la parte de arriba, enganchada al cable con un montón de cadenas; después la cabina horadada.

Jason estaba helado de miedo.

Había un hombre dentro del ascensor.

–¡Rick, basta, deténte! –consiguió decir Julia.

Se recostó en una roca redondeada y miró a su alrededor intentando respirar. Traspasada la cancela, la gruta se hacía menos profunda y aterradora. Y a lo lejos, en la cima, se veían los resplandores inciertos de la luz del día.

–¿Cómo estás? –le preguntó Rick, arrodillándose delante de su amiga.

–Mejor. –Pero estaba todavía pálida y le temblaban las rodillas–. No sé lo que me ha pasado. Estaba aterrorizada. –Después le indicó a Rick el camino por el que acababan de llegar–. Jason está ahí abajo...

–Sí –asintió el chico pelirrojo.

–No podemos dejarlo solo.

–No. Pero tú...

–Yo estoy bien. Tú vete a buscar a mi hermano.

Rick se puso de pie. Estaba oscuro y ya le había dejado la linterna a Jason, pero recordaba bien el camino que acababa de recorrer.

–Enseguida estaremos de vuelta.

–Eso espero –dijo Julia–. Porque yo no voy a ir a salvaros...

La chica miró a su alrededor. Se veía la luz del día al final del sendero. De Rick solo oía los pasos que se alejaban en la gruta.

Luz. Oscuridad.

Apoyó las manos sobre las rodillas.

Y eligió la luz.

Rick tardó menos de un minuto en volver a la cancela. Y cuando acababa de dar el último giro, oyó la voz de Jason que le preguntaba a alguien:

–¿Cómo lo has hecho?

Se arrimó a la roca y, pegado a la pared, empezó a deslizarse hacia delante. No conseguía oír la voz del otro interlocutor, pero le pareció sentir cierta tensión en la de Jason.

Un paso, dos, el rostro contra la húmeda pared de la gruta,

y Rick consiguió entrever a su amigo, de pie delante de la cancela, linterna en mano.

–No tengo ganas de que me entierren aquí –dijo entonces Jason.

Rick se imaginó algo terrible y, prestando aún mayor atención, intentó acercarse.

La voz de la otra persona era gutural y jadeante.

Daba escalofríos.

–Te propongo una cosa… –murmuró Jason–. Subimos por ese camino y nos olvidamos de todo este asunto. Como si no hubiera pasado nada. ¿Qué dices?

Una piedra rodó a los pies de Rick y Jason dejó de hablar de repente.

–¿Quién hay ahí? –preguntó, ahora claramente, la voz del hombre.

Rick apretó los dientes e intentó recordar si ya la había oído.

–¿Rick? –preguntó Jason, iluminando el camino con la linterna.

«¿Por qué no se está calladito?», pensó el chico de Kilmore Cove, intentando ocultarse entre las sombras.

Jason pareció renunciar a su propósito. Se agachó delante de la cancela y recogió el viejo bolso que Rick había llevado a hombros.

–Yo voy para arriba, entonces… –anunció dirigiéndose hacia el camino.

Una sombra alta y delgada apareció tras de sí.

Y la linterna de Jason iluminó por un momento el rostro desencajado de Fred Duermevela.

–Hola, Rick –lo saludó tranquilamente Jason, cuando pasó por delante de él–. ¿Has visto quién estaba en el ascensor?

La silueta angulosa de Fred renqueaba tras él.

Rick movió la cabeza.

–Pero ¿cómo lo ha hecho?

–Dice que nos ha seguido dentro del túnel cuando hemos entrado para examinar la locomotora. Y que cuando se ha decidido a subir las escalerillas, Clio ha salido disparada como un rayo y… a él no le ha quedado más remedio que quedarse allí agarrado lo más fuerte posible. Me ha contado que se ha desmayado y que, al despertarse, estaban ya todas las luces encendidas.

–Y después he cogido el ascensor… –añadió Fred, trepando hasta donde estaban ellos–. Porque esto será una pesadilla, pero no es cuestión de acabar muertos de cansancio, ¿no?

–Pues no –gruñó Rick, molesto por la imprevista aparición de aquel hombre en su exploración.

–¿Dónde está Julia? –quiso saber Jason.

–Creo que ha salido fuera –respondió Rick, indicando la luz en lo alto de la gruta.

Jason dio unos pasos, y mirando a su alrededor dijo:

–Y la cuestión es que yo esta gruta la conozco…

Después de unos metros, de hecho, llegó a una cavidad que conocía a la perfección. Por el suelo aún podían verse las plumas de palomas y las manchas frescas de pez del día anterior.

–¡Pues claro! ¡Estamos en Turtle Park!

–¡Ah, qué bien! –exclamó Fred Duermevela–. Hacía años que quería venir a verlo.

Pocos minutos más tarde habían salido todos a la luz del sol. O al menos a lo que quedaba de luz, dado que el sol estaba ya muy bajo en la línea del horizonte.

El viejo parque de las tortugas era un concierto de pájaros y de insectos. Rastrojos, malas hierbas y zarzas espinosas invadían los senderos que, un tiempo atrás, diseñaban elegantes geometrías en la colina.

Julia rompió a reír a carcajadas cuando descubrió la identidad del hombre misterioso y recordó de repente el grito que había oído en el momento en que la locomotora se había puesto en marcha.

Después les indicó una construcción redonda, parecida a un tarta boca abajo apoyada sobre algunas columnas: era la entrada del panteón de los Moore que asomaba al mar.

Por lo que parecía, las sepulturas de los antiguos propietarios tenían dos entradas: una expuesta a la luz, y otra protegida por la oscuridad.

Y un tren especial esperándolos abajo.

Fred, haciendo caso omiso de la conversación de los chicos, respiró hondo y se despidió de ellos diciendo que volvía al pueblo andando. Y añadió que, con lo de la estación, seguro que se le había acumulado una buena cantidad de trabajo en el despacho.

Los chicos vieron cómo desaparecía entre los matorrales; luego Jason mostró a Rick y Julia la caseta que Leonard le había invitado a visitar el día anterior.

–Allí dentro están las firmas de todos –explicó–. Y es desde allí donde se introdujo Black Vulcano por primera vez en la gruta de la que acabamos de salir para explorarla.

–¿El inicio de todo? –preguntó entonces Rick.

–Quizá –respondió Jason–. O quizá el fin de todo, visto como han ido las cosas.

En su voz había cierta amargura. En el fondo no habían descubierto casi nada sobre la Primera Llave ni sobre Black Vulcano, salvo que había abandonado el pueblo a bordo de «su» locomotora y de «su» Puerta del Tiempo.

Además, la tarde estaba llegando a su fin y Nestor les había dicho que tenían que volver dentro de tres horas como mucho.

–Hay un sendero que baja desde el panteón hasta Villa Argo... –explicó Jason–. Es el camino más corto para volver a casa.

–¿Y nuestra barca? –preguntó Julia, mientras se dirigían hacia el sendero que les había indicado su hermano.

–Nadie roba una barca en un pueblo de pescadores –la tranquilizó Rick.

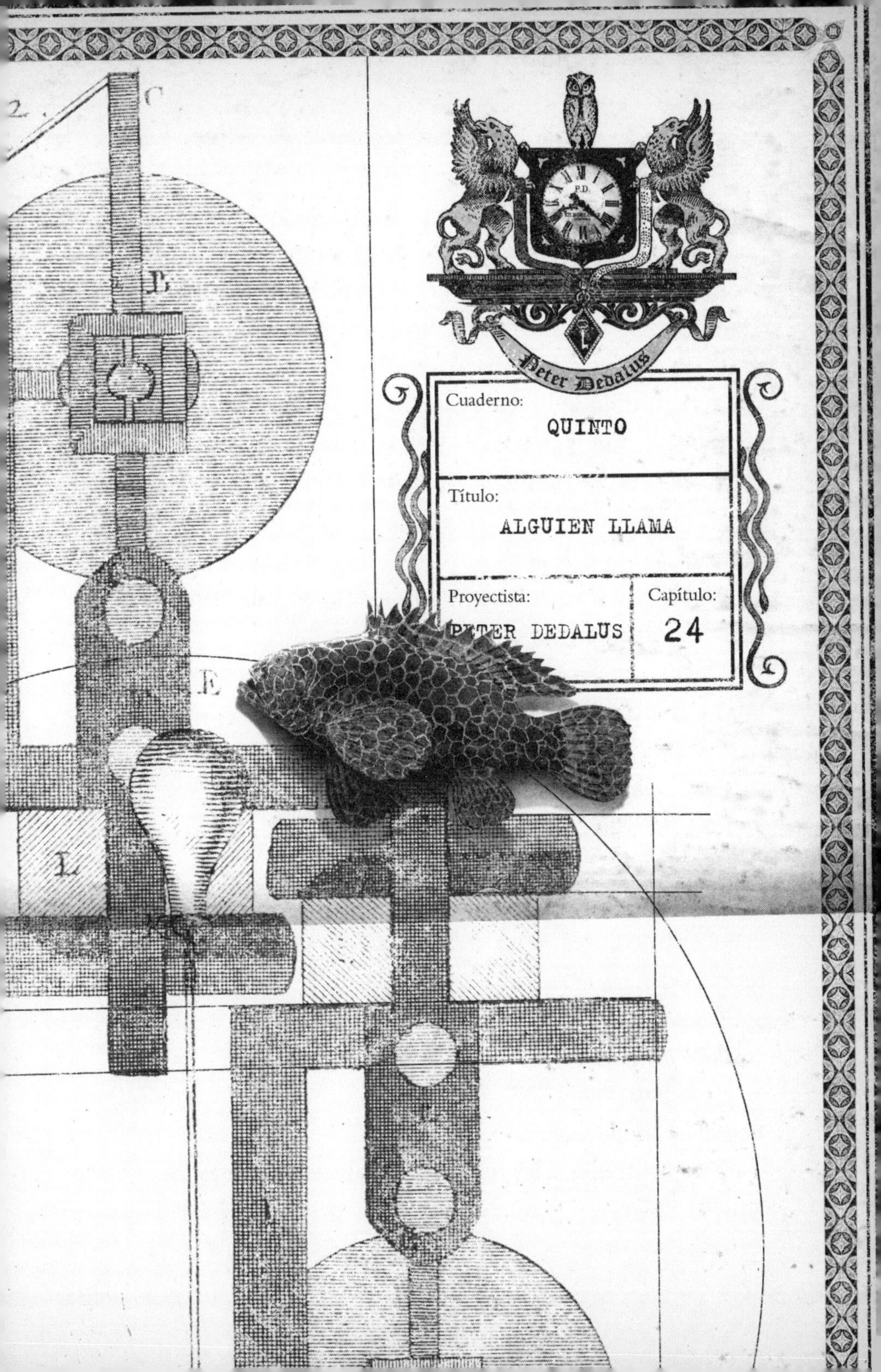
Peter Dedalus
Cuaderno:
QUINTO
Título:
ALGUIEN LLAMA
Proyectista:
PETER DEDALUS
Capítulo:
24

Era ya casi la hora de cerrar en la librería de Kilmore Cove cuando Calypso oyó un extraño ruido. Dejó en el estante el libro para niños que estaba hojeando y escuchó con atención. Era como una vibración que se hacía cada vez más insistente. Como unos pasos o pequeñas ondas. Como si alguien estuviera golpeando con los nudillos la pared para ver si estaba hueca.

Pero el ruido cesó nada más empezar, así que Calypso pensó que se había equivocado. Volvió a concentrarse en *Sonámbulos*, una colección de libros fluorescentes que se podían leer en la oscuridad. El que tenía entre las manos representaba las constelaciones celestes.

Al cabo de poco, el ruido volvió a oírse, esta vez más insistente, contundente y agitado.

Calypso estaba segura de no equivocarse. Había alguien que estaba golpeando la pared con los nudillos. Y golpeaba cada vez más fuerte, llenando la librería con su ritmo continuo.

Pum pum.

Pum pum.

Pum pum.

El ruido procedía de la parte trasera.

–No puede ser –murmuró la mujer, dirigiéndose hacia el mostrador.

Y sin embargo…

Pum pum pum.

Pum pum pum.

Pum pum pum.

Calypso se llevó las manos a la cabeza mientras escuchaba aquella misteriosa llamada. Dio unos pasos más hacia la parte trasera de la librería y corrió la cortina. Los golpes venían de detrás de una vieja puerta de madera oscura con una compleja cerradura refulgente.

Pum pum pum.

Pum pum PUM.

PUM PUM PUM.

Era una puerta que Calypso no había abierto nunca. Y de la que ya no tenía la llave, porque hacía años que se la había dado a Leonard.

La llave de la ballena.

–No puede ser... –repitió la librera, acercándose a la vieja puerta de madera y pasando una mano sobre la cerradura.

El ruido se aceleró y subió aún más de tono. Ahora parecía el tambor de una danza tribal o... Sí, pensó Calypso con un escalofrío: parecía un corazón sometido a grandes esfuerzos. Un corazón nervioso y asustado. Pegó el oído a la madera y se dejó invadir por aquella vibración imposible, que hacía que le temblaran todos los huesos.

PUM PUM PUM PUM PUM PUM PUM.

–¿Leonard...? –susurró Calypso a la Puerta del Tiempo.

Y el ruido cesó de repente.

La mujer se despegó de la puerta como si hubiera recibido una descarga eléctrica.

–¡No! –gritó, saliendo precipitadamente de la biblioteca–. ¡No, Leonard, no!

Sus sandalias de flores resonaban en el suelo empedrado de la plaza, mientras ella corría a toda prisa hacia la playa. Cruzó el pueblo sin detenerse, sin pensar en nada más que en el mar, dando las zancadas más largas que sus cortas piernas le permitían dar.

Pasó por delante de la pastelería, la estatua del rey, el paseo marítimo y la silueta de madera del Windy Inn. Llegó a la playa de Whales Call y lo primero que hizo fue mirar hacia alta mar. Después miró hacia el faro.

Ninguna barca. Ni en el mar ni en el embarcadero que estaba junto a la vivienda de Leonard.

Y, sin embargo, pensó Calypso, tenía que haber pasado algo inexplicable, allí, en alta mar. Sentía un hormigueo en las manos y le dolían los oídos, como si estuvieran llenos de agua. Se llevó las manos a la cabeza.

¿Qué podía hacer?

Un coche se paró delante del Windy Inn, a pocos pasos de donde estaba ella.

Calypso miró el agua que se estaba retirando debido a la marea baja, dejando un velo húmedo sobre la playa. Y allí vio una barca de remos.

La *Annabelle.*

–¡Leonard, no! –gimió de nuevo Calypso, imaginando algo que no podía decir.

–¿Señora? ¿Se encuentra usted bien? –preguntó una voz a sus espaldas.

Calypso se dio la vuelta. Un hombre joven estaba mirándola desde el coche, con la puerta abierta. Junto a él había también otro hombre. Y ambos sonreían.

–La he visto correr hasta la playa... –explicó el más joven– y llevarse las manos a la cabeza. No es que quiera meterme donde no me llaman, pero... ¿se encuentra usted bien?

Calypso sacudió la cabeza.

–No lo sé –dijo.

El hombre cerró la puerta y se acercó a ella. Tenía un rostro familiar y al mismo tiempo desconocido.

–¿Puedo ayudarla? Soy Covenant, de Villa Argo. –E indicó la casa de la cima del acantilado.

Calypso siguió el dedo con la mirada; luego volvió a mirar fijamente al mar abierto y la barquichuela sobre la playa.

–Creo que… un amigo mío se encuentra en apuros –dijo.

–¿Qué tipo de apuros?

–¿Usted sabe remar? –preguntó la librera de Kilmore Cove.

Peter Dedalus
Cuaderno:
QUINTO
LA PUERTA
DEL JARDÍN
Capítulo:
DEDALUS
25
ULYSSES
MOORE

Cuando Jason, Julia y Rick llegaron a la cancela de Villa Argo quedaba menos de un cuarto de hora para las siete. Se deslizaron a la sombra de los troncos centenarios y dieron un largo rodeo por el jardín para llegar por la parte de atrás a la casa del viejo jardinero.

–¡Nestor! –llamaron.

El hombre caminó cojeando por el suelo de madera y abrió la puerta.

–¡Por fin! –exclamó al verlos–. ¿Se puede saber dónde os habéis metido durante todo este tiempo?

Los chicos se lo resumieron brevemente.

Nestor se sentó y dijo en tono tajante:

–Lo sabía.

Después estiró la espalda y se puso de pie.

–Es casi la hora de cenar –comentó–. El día se ha acabado.

–Y nosotros no sabemos mucho más de lo que sabíamos –respondió Rick.

–Pero al menos sabéis que Black usó la puerta del caballo... –recordó el jardinero, indicando la torre–. Y podéis intentar buscar entre las cosas del antiguo dueño si hay alguna indicación sobre el lugar al que lleva.

–Es exactamente lo que pensábamos hacer –asintió Jason.

–¿Vienes con nosotros?

Nestor sonrió.

–No puedo. Está aquí vuestra madre. Es su casa. Y no creo que le hiciera mucha gracia que el viejo jardinero entrara y saliera de ella a su antojo.

Como si la hubieran llamado para entrar en escena, la señora Covenant salió por la puerta de la cocina seguida de otra persona. Solo entonces los chicos se dieron cuenta de que había un coche azul claro aparcado en el patio a pocos metros de la bicicleta de Rick.

–¿Y esa quién es? –preguntó Julia, poniéndose en alerta.

Jason, sin embargo, la reconoció enseguida. Era la espléndida joven que le había cortado el pelo hacía dos días.

–La peluquera –suspiró.

En efecto, el peinado de la señora Covenant era más ligero y vaporoso.

Las dos mujeres estaban inmersas en una agradable conversación, que duró hasta que llegaron al coche. Luego Gwendaline echó en el asiento de atrás sus pertrechos para cortar y marcar y le dio la mano a la señora Covenant.

–¿Y su ayudante? –se informó antes de despedirse de la peluquera.

–Oh, no se preocupe –respondió con presteza la joven, bastante cohibida–. Se ha bajado andando. Lo recogeré por el camino.

–¡Nos vemos dentro de quince días entonces! –chilló Gwendaline. Y con una ágil maniobra abandonó Villa Argo.

Rick, Jason y Julia entraron en casa con aire indiferente, intentando escabullirse y subir al piso de arriba sin que les hicieran demasiadas preguntas.

Encontraron a la señora Covenant silbando, concentrada en barrer del suelo los últimos cabellos que quedaban.

–Chicos…

–Mamá. ¡Qué peinado tan bonito! –la interrumpió Julia.

–¿Sí? Es que Gwendaline peina muy bien.

–Pues sí, la verdad. Nosotros subimos un minuto a la torre.

–Claro, claro. –La mujer echó una ojeada al reloj–. Vuestro padre ya tendría que estar casi de vuelta. Ha dicho que ha sucedido un desastre… Como si por la carretera hubiera pasado un tornado. ¿Os apetece algo especial para cenar?

Pero los chicos ya habían desaparecido.

La habitación de la torre, envuelta en un halo de luz pastel, se abría sobre un cielo color albaricoque y sobre las frondas doradas de los árboles. Las nubes empezaban a cobrar volumen, como llamadas por el inminente concierto de los grillos, que como todas las tardes se estaban agrupando para despedirse del atardecer.

Los chicos entraron en la habitación sin encender la luz, disfrutando de ese momento de silencio, tan distinto del silencio opresivo de la gruta y del panteón.

Rozaron la colección de naves de Ulysses Moore y los diarios de viaje que hasta entonces habían consultado, y se quedaron ensimismados mirando la móvil planicie del mar, pensando en las salpicaduras de espuma blanca de los escollos que habían cruzado esa tarde.

–¡Mirad! –dijo Jason primero, cuando vio que en el escritorio había un cuaderno y un extraño objeto de trapo.

–¿Qué son?

–¿Quién los ha puesto ahí?

–¡El fantasma! ¡Ha sido el fantasma!

Rick cogió el cuaderno y lo acercó a la ventana para leerlo con la última luz del día. Al hacerlo, echó una mirada a la casa de Nestor. Aunque no podía verlo, estaba seguro de que el viejo jardinero estaba sentado ahí fuera y los estaba mirando.

–Nestor nos ha dicho que subiéramos a la torre para buscar una pista... –murmuró–. Y, casualmente, la pista existía.

–Esto empieza a darme escalofríos... –dijo Julia–. Es como si estuviéramos controlados. Como si el antiguo dueño nos estuviera observando y escuchando desde el otro lado de la pared.

–¡Eso es! Sabemos que es así. ¡Y estas son las pistas que nos faltaban! –cortó tajante Jason–. Rick, ¿qué dice el cuaderno?

–Habla de un jardín –leyó él–. Se llama el Jardín del Preste Juan. ¿Lo habíais oído mencionar antes?

Los gemelos negaron con la cabeza.

–Habla de él Marco Polo... –continuó Rick–. Oíd: «Su Imperio es inmenso y lo conoce todo el mundo y su ejército está formado por muchos pueblos y constituye una de sus maravillas». Parece que en 1165, es decir, en plena Edad Media, el Preste Juan envió una carta a todos los soberanos de Occidente. En ella describía las riquezas y maravillas de su reino, incluida una fuente de aguas milagrosas. Se dice que todo aquel que bebiera de su agua no enfermaría ni envejecería nunca jamás.

–¿Una especie de fuente de la eterna juventud?

–Algo parecido, sí... –Rick les enseñó uno de los dibujos de Ulysses Moore, que representaba una fuente inmersa en un bosque–. A raíz de la carta, decenas de aventureros partieron hacia Oriente en busca de ese reino. Pero parece que ninguno lo encontró jamás y que muchos murieron en el intento.

–Como en la Tierra de Punt.

–Exactamente.

–Pero ¿por qué el dromedario? –preguntó Julia.

Rick hojeó el cuaderno hasta encontrar el dibujo de una caravana de dromedarios.

–Aquí está. Parece que algunos mercaderes de Mesopotamia conocían el camino para llegar al Jardín del Preste Juan y estrecharon lazos comerciales con este soberano, llevándole especias a cambio de oro y piedras preciosas. Y el dromedario se llama en árabe... «nave del desierto».

Julia rió.

–¿Así que esto forma parte de la colección de maquetas de barcos del antiguo propietario?

–Yo diría que sí –respondió Rick. Después agitó el diario ante ellos, lo cerró y se lo pasó a Jason–. Hay un montón de cosas aquí dentro. Hay un mapa de este reino, con los nombres de todos los edificios... pero ahora no tenemos tiempo de leerlo.

–Tenemos que irnos –declaró Jason.

–¿Te has vuelto loco? –replicó su hermana–. Yo estoy hecha polvo.

–¡Pero qué hecha polvo ni qué ocho cuartos! ¡No tenemos tiempo que perder! –insistió él.

–Vete tú si quieres... –resopló Julia, sacando del bolsillo las cuatro llaves y poniéndolas encima del escritorio–. Yo no puedo más.

–Pero, Julia, ¿es que no lo entiendes? ¡Allí está Black Vulcano con la Primera Llave! ¡Está todo claro por fin! ¡Ha llamado a la locomotora «tren de la eterna juventud» por esa fuente!

–Pues yo, sin embargo, creo que hay un motivo mucho más romántico... –observó Julia–. Ha dado al tren el nombre de Clitennestra Biggles, y estoy dispuesta a apostar que mil novecientos setenta y cuatro es el año que se conocieron. Y el tren se llama «tren de la eterna juventud» porque el amor hace que permanezcamos jóvenes para siempre.

Rick y Jason se quedaron de piedra.

–¿Sabes lo que te digo? –resumió Jason–. No es que a Black se le dieran bien las mujeres. Es que las mujeres son extrañas. ¿Rick?

–Julia tiene razón.

–¡Cómo no! –refunfuñó Jason.

–No podemos irnos ahora. Es hora de cenar y están aquí tus padres. Es mejor que vayamos mañana.

–¿Y Oblivia? –insistió Jason.

La ventana que daba al jardín se abrió de par en par con un golpe seco. Una mano emergió de la penumbra dorada de la habitación y se cerró de golpe sobre la boca de Jason. Dos figuras avanzaron sigilosamente hacia Rick y Julia.

–Ni una palabra... –susurró Manfred, levantando a Jason como si fuera una muñeca de trapo–. O le retuerzo el pescuezo.

Oblivia fue hasta el escritorio del antiguo propietario y acarició las cuatro llaves de la Puerta del Tiempo.

–¿Querías tener noticias de Oblivia, querido? –susurró–. Pues mira, es muy simple: Oblivia quiere irse de aquí enseguida.

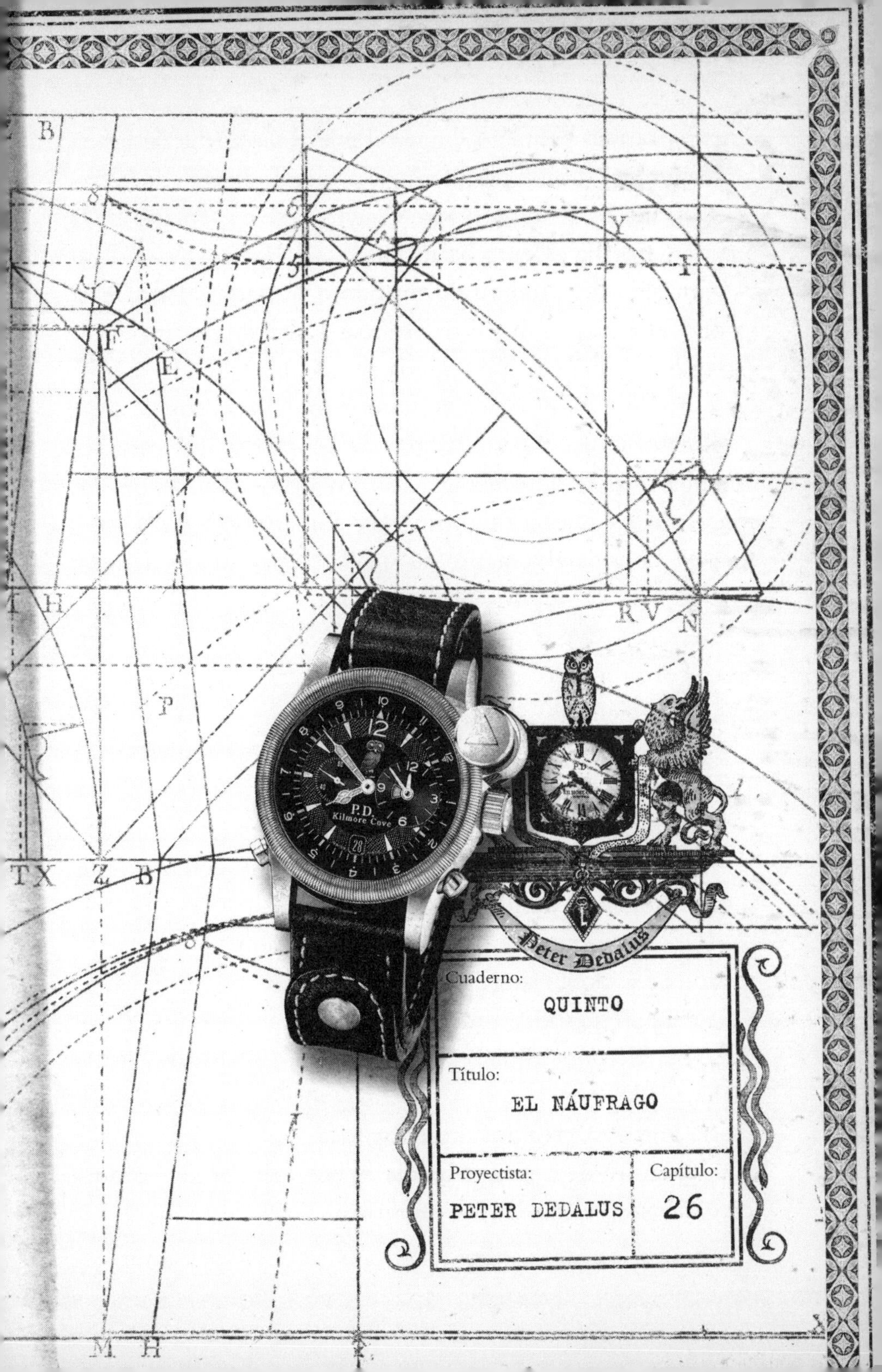
P.D.
Kilmore Cove
Peter Dedalus
Cuaderno:
QUINTO
Título:
EL NÁUFRAGO
Proyectista:
PETER DEDALUS
Capítulo:
26

El casco pequeño y ligero de la *Annabelle* se deslizaba sobre el mar plácido de la tarde, alejándose de la bahía de Kilmore Cove. Calypso estaba sentada en la proa y escrutaba el lento balanceo de las olas.

–Por allí –dijo, indicando un punto que solo ella parecía reconocer en aquel mar cada vez más parecido a la tinta.

No tenía ninguna duda. Sentía en qué dirección debía moverse, como si estuviera en comunicación directa con el agua.

El señor Covenant y el arquitecto Homer se intercambiaron una mirada de preocupación. Ayudar a una señora en apuros, vale. Coger los remos y salir al mar por la tarde, vale. Alejarse considerablemente de la costa, vale... pero siempre que todo tuviera ciertos visos de lógica.

–Señora Calypso, perdone... –dijo el señor Covenant sin dejar, por otra parte, de remar–. ¿No podría explicarnos qué estamos haciendo?

La mujer ni siquiera se dio la vuelta y siguió sondeando el mar con mirada escrutadora.

–Estamos buscando a un amigo.

–Claro –continuó el señor Covenant–. Pero ¿el motivo por el que lo estamos buscando aquí?

–Pues es porque él está aquí, por algún lado.

Homer se dobló sobre el remo y empujó.

–¿Y aquí está todavía muy lejos?

Al oír el tono irónico del arquitecto, Calypso se dio la vuelta.

–Se lo ruego, créanme: no estoy loca.

–¡Ninguno de nosotros ha dicho eso! –exclamó el arquitecto, dejando entender lo contrario.

–Pero lo piensan y puedo leérselo claramente en sus caras. Y en cierto modo no puede decirse que no tengan razón. Es que... yo *siento* que ha pasado algo.Y que ha pasado aquí cerca. No puedo decirles más y no puedo decirles otra cosa, solo pedirles unos minutos más de paciencia.Y de esfuerzo. –Calypso esbozó una sonrisa. Su cara blanca parecía una pequeña luna a flor de agua–. Sé hacer una deliciosa crema de frutas. Y les prometo que, en cuanto volvamos, será lo primero que haga para agradecerles el favor.

–Si es así, señora –le respondió el señor Covenant–, no podemos negarnos, ¿verdad, Homer?

–Oh, no, claro –farfulló, nada convencido, pensando en las rarezas de aquel pequeño pueblo de pescadores. Primero le habían pagado para que empleara el mayor tiempo posible en hacer la mudanza, después lo habían asediado en la posada confundiéndolo con un tal Ulysses Moore, había perdido el camión porque en medio de la carretera había un árbol atravesado y una serie de socavones que parecía que alguien hubiera hecho aposta en el asfalto.Y ahora, como colofón, se había dejado convencer por una menuda mujer lunática para salir a alta mar a buscar a un hipotético amigo suyo en apuros.

–Cada vez se ve menos... –comentó, olvidando todas sus perplejidades.

Como respuesta, el faro de Kilmore Cove se encendió sobre el promontorio que estaba a sus espaldas.

–¿Mejor? –le dijo con sorna el señor Covenant.

–¡Allí! –exclamó de repente Calypso, indicando un bulto en el mar–. ¿Lo ven?

–¿Qué?

El señor Covenant y Homer dejaron de remar, siguiendo las indicaciones de la librera. Una línea negra como la tinta, una franja lechosa de horizonte y una cortina cada vez más oscura de cielo. Eso es lo que vieron.

Después la luz del faro giró e iluminó una silueta negra y escurridiza, similar a un enorme pájaro, que se zambullía en el agua a menos de veinte metros de ellos.

–¡La cola de una ballena! –exclamó el señor Covenant–. ¿He visto bien? ¿Era una ballena?

–¡Sí! –exclamó Calypso–. ¡Demos la vuelta!

–¿Por qué? ¿La vuelta hacia dónde? –preguntó Homer, alarmado de repente–. ¿No corremos el riesgo de que nos haga volcar?

–No, no. ¡Por favor! ¡Deprisa! –gimió Calypso.

Los dos hombres remaron con decisión en la oscuridad hasta que la barca chocó contra algo.

–¡La ballena! –exclamó Homer, sintiendo un vuelco en el corazón.

–¡Oh, no! –exclamó Calypso por su parte, asomándose de golpe fuera de la borda–. ¡Leonard!

Había un hombre en el mar.

El señor Covenant se quitó los zapatos y la camisa y se lanzó al agua.

–¡Tenga cuidado! –exclamó Homer, intentando permanecer en equilibrio sobre la barca.

El agua estaba caliente e inmóvil. El señor Covenant nadó junto al cuerpo del hombre en el mar e intentó moverlo.

–¿Está vivo? –preguntó Calypso.

–Me parece que sí... –respondió él, empujándolo hasta el casco de la barca–. Sí, está vivo. Solo se ha desmayado.

Le soltó la máscara con manos inexpertas y la arrojó al mar.

–Lleva todavía puesto el equipo de submarinista...

–¡Menos mal! Sin el chaleco seguro que se habría ahogado.

–¡Pesa demasiado para izarlo a bordo! –El señor Covenant buscó los ganchos de las dos botellas y los soltó sin ni siquiera intentar recuperarlas.

Después intentó sacar el cuerpo fuera del agua. Homer y Calypso lo aferraron por los brazos desde arriba, con escaso resultado.

–¡Su amigo es una especie de gigante, señora!

–¡Ánimo!

–¡Empuja!

–¡Tiren! ¡Y tengan cuidado, no se vayan a caer!

El cuerpo de Leonard se apoyó en la borda, pasó por encima de ella y con un golpe sordo fue a parar al fondo de la barca.

–¡Ya está! –exclamó Homer incrédulo–. ¡Lo hemos conseguido!

Calypso se agachó al lado de Leonard, le apartó el pelo de la cara e intentó reanimarlo.

–Vamos, sube... –le dijo el arquitecto al señor Covenant, tratándole ya de tú. Le tendió la mano y lo ayudó a subir a bordo.

–¡Uf! –susurró él–. Creía que no lo lograríamos.

–Yo tampoco... –admitió Homer.

Ambos enmudecieron. La superficie del agua pareció encresperase y luego aumentar de volumen, volviéndose más negra de lo que era ya. La línea dorsal de la ballena emergió lentamente, elegante e infinita. Parecía un puente trazado sobre el mar.

Después desapareció para dejar sitio a la cola, un abanico tres veces más grande que la *Annabelle*, que se recortó un instante contra el cielo antes de hundirse en las profundidades.

Los ocupantes de la pequeña barca esperaron muchos y largos segundos antes de hablar.

–Hemos tenido suerte... –murmuró Homer–. Un metro más allá y...

–Pues sí –asintió el señor Covenant, volviendo a pensar en que, pocos instantes antes, estaba nadando por encima de ese gigante del mar.

–Somos tan pequeños que ni siquiera se habrá dado cuenta de nuestra existencia...

El señor Covenant no parecía de la misma opinión.

–Yo, sin embargo, he tenido la sensación de que, no sé... se estuviera despidiendo de nosotros. –Se dio la vuelta para cruzar con la mirada, ahora más tranquila, de Calypso–. ¿O me equivoco? ¿No cree usted también que esta ballena... nos ha ayudado de algún modo?

–Así ha sido, sí –respondió la mujer–. Nos ha llamado. No es casualidad que esta bahía se llame Whales Call. La llamada de las ballenas.

–Ha sido algo fantástico –dijo entonces el arquitecto–. Algo absolutamente fantástico. No sé lo que daría por poder volver a verla.

El ruido que siguió fue como el de una tubería al reventar. O como la apertura de la ducha más grande de todos los tiempos. El soplido de la ballena llenó el aire y les dejó solo el tiempo de mirar hacia arriba, antes de quedar empapados por un chorro de agua caliente nauseabunda, que casi hizo zozobrar la barca.

–¡Oh, caramba! ¡Es terrible! –aulló Homer, empapado como los demás de pies a cabeza–. ¡Puaj! ¡Qué asco! ¡Y qué olor!

En ese momento el hombre que yacía en el fondo de la barca tosió violentamente y abrió su único ojo. No dijo ni una palabra, pero siguió tosiendo y mirando a su alrededor, intentando entender lo que le había pasado.

–Soy yo, Leonard –lo saludó Calypso.

–Banner... –murmuró Leonard Minaxo, en cuanto la tos se aplacó.

–Covenant –se presentó el señor Covenant, verdáceo por las algas esparcidas por la ballena–. Y ese recubierto de peces no digeridos del todo es Homer, de la Homer & Homer. *Arquitecto* Homer, para mayor precisión.

–¡Lo he visto! –gritó Leonard.

–¿Qué has visto? –preguntó Calypso.

Leonard parecía volver a la realidad progresivamente. Se palpó el cuerpo, y luego se movió pesadamente en la barca.

–¡No! ¡Se me ha caído! ¡Lo he perdido!

–¿Puede estarse quieto, por favor? –le pidió el señor Covenant, nervioso por el pataleo de aquel gigante.

–¡He encontrado el velero! –gritó de nuevo Leonard. Su rostro tenía la palidez de un cadáver y una expresión enloquecida, que no contribuía a tranquilizar a los dos hombres.

–Lo he encontrado, Calypso. ¡Está abajo! Es el velero de Raymond Moore. El velero con el que llegó a Kilmore Cove.

–Leonard... tranquilo... –le sugirió Calypso.

–Yo estaba allí... pero no me quedaba más aire... –El hombre se sentó en el fondo de la barca–. Y entonces he tenido que subir deprisa, antes de que fuera demasiado tarde... y luego la descompresión... y luego ha llegado la ballena. ¡Una ballena, Calypso! ¡Me ha empujado! ¡Me ha empujado hacia arriba! ¡Y parecía saberlo todo!

–¿Todo? ¿Qué quieres decir con «todo»?

El farero se palpó de repente una protuberancia sobre el pecho. Se bajó la cremallera, metió una mano en el traje de buceo y sacó un reloj de metal.

–¡No lo he perdido! –sonrió mientras la *Annabelle* se balanceaba titubeante en medio del mar. Enseñó el reloj a Calypso, después a Homer y al señor Covenant.

Era un bonito reloj submarino de metal, con una lechuza en el cuadrante.

–Muy bonito –comentó el señor Covenant–. Y, entre otras cosas, me recuerda que es hora de volver a la orilla. Mi mujer va a empezar a preocuparse.

–Estaba en el velero –explicó Leonard a Calypso–. En el velero del siglo XVI de Raymond Moore.

–Yo diría que difícilmente eso podría definirse como un cronómetro del siglo XVI –observó, quisquilloso, el arquitecto Homer.

–Banner estaba aprisionado allí abajo –concluyó abruptamente Leonard Minaxo–. Fue allí abajo donde murió el padre de Rick.

Peter Dedalus
Cuaderno:
QUINTO
Título:
EL CORREDOR
DE LA MUERTE
Proyectista:
PETER DEDALUS
Capítulo:
27
ULYSSES MOORE
Metis

Julia se acercó lentamente a la Puerta del Tiempo de Villa Argo.

–Adelante, jovencita, ábrela –la animó Oblivia Newton a sus espaldas–. Y date prisa.

Julia titubeó. Oía a su madre que trajinaba en la cocina y sabía que le bastaría con gritar para que acudiera corriendo en su ayuda. Pero el hombre que estaba detrás de ella, el hombre que había caído por el acantilado, sujetaba a Jason con fuerza entre los brazos. Y cada vez que ella vacilaba, le retorcía el pescuezo haciéndolo aullar de dolor.

La chica se dio la vuelta hacia Rick.

–Haz lo que te dicen –le aconsejó el chico pelirrojo.

Julia percibió una extraña seguridad en el consejo de Rick, como si él supiera qué hacer. Como si tuviera un plan.

Decidió fiarse de esa sensación y cogió las cuatro llaves. Abrió una a una las cerraduras.

Clac. Clac. Clac. Clac.

–Oh, magnífico... –susurró Oblivia cuando acabó–. Vosotros primero, por favor.

–Hace falta una luz –dijo Rick.

Oblivia cogió la mochila de Manfred. Rebuscó entre sus trastos y sacó una linterna.

–Linterna –dijo.

–Esa no sirve –insistió Rick–. Hacen falta velas.

–¡Sirve, sirve! ¡Venga! –refunfuñó Oblivia, empujándolo dentro y encendiendo la linterna–. ¡Y vamos a dejarnos ya de tonterías!

Entraron en el corredor. Julia y Rick delante, Oblivia en medio y, por último, Manfred con Jason.

–*Si con cuatro abre una, por fortuna…* –empezó a canturrear Rick–, *de cuatro el lema indica tres…*

–¿Qué estás murmurando tú? –bramó Oblivia.

–*De cuatro irán a la muerte dos…* –continuó Rick–, *y abajo conduce, de cuatro, una.*

–¿Qué quiere decir?

Julia y Rick se detuvieron al final del corredor, en el centro de la habitación circular de la que partían las cuatro salidas.

–Es la canción que sirve para saber cuál es el único corredor que lleva allí abajo –respondió Rick, con tono duro, indicando las diversas puertas de la habitación.

A Oblivia le dio tiempo a alumbrar con la linterna en torno a la habitación. Entrevió las letras grabadas a lo largo de todo el perímetro y las figuras de animales esculpidas sobre las arcadas de las puertas.

Luego, como las otras veces, una violentísima corriente de aire procedente de abajo los envolvió de repente y la Puerta del Tiempo se cerró de golpe detrás de Manfred.

Y la luz de la linterna se apagó.

–¡Jason! –gritó Julia en la oscuridad.

–¡Arrggg! –gritó Manfred.

–¡Grrr! –gritó Jason.

–¡Manfred! –gritó Oblivia.

Siguió una barahúnda de estruendos y gritos, de pasos presurosos y golpes en la oscuridad.

–¡Jason! –repitió Julia.

–¡Julia! –exclamó Jason–. ¡Abajo!

–¡Maldito mocoso!

–¡Manfred, se escapan!

–¡Me ha mordido la mano!

–¿Dónde estás?

–¡Aquí!

–¿Quién eres?

–¡Manfred!

El roce de una cerilla y el rostro demacrado de Manfred apareció en un minúsculo haz de luz.

–Estoy aquí –dijo.

En torno a ellos solo había oscuridad.

–¿Los oyes? –preguntó Oblivia.

–Sí. Están bajando.

–Pero ¿por dónde?

La cerilla se apagó. Manfred encendió otra. Oía los pasos de los chicos que se alejaban en la oscuridad, pero parecían venir de al menos dos corredores distintos.

–No sé. Por allí, me parece. –Escuchó con atención–. O por allí.

–¡Decídete!

–¿Cómo decía la canción? –preguntó Manfred–. *¿Dos a la muerte, una abajo?*

–¡Manfred! –ordenó Oblivia Newton–. ¡Haz algo!

–Y Rick, ¿dónde está? ¿Dónde está? –gritó y susurró Julia al mismo tiempo. Apretaba la mano de Jason y, juntos, corrían en la oscuridad del corredor que conducía a la *Metis*.

–Estará delante de nosotros –dijo Jason–. ¡Tenemos que correr!

Julia jadeaba, a un paso detrás de él.

–Cuidado con el pozo.

–Lo veo –respondió Jason–. Están todavía aquí las luciérnagas.

En la oscuridad absoluta que los rodeaba había en efecto una tenue luminiscencia que procedía del suelo, allí donde se abría el pozo que conducía a la gruta subterránea.

Julia se dio la vuelta.

–No los oigo. Y no oigo tampoco a Rick.

–¡Venga, vamos!

Pasaron por encima del pozo y siguieron corriendo.

–¿Por dónde han salido? –gimió Julia–. ¿Cómo lo han conseguido?

Llegaron a la habitación del tobogán y se pararon a escuchar de nuevo.

–No nos sigue nadie.

–Eso quiere decir que Rick ha bajado ya.

–¿Sin esperarnos?

Jason miró a su hermana. Le indicó el tobogán.

–Bajemos.

–¿Sin esperarlo?

–Aquí no, Julia. Vamos a sacarles toda la distancia que podamos.

Se sentaron en el tobogán, primero Julia y después Jason, y se tiraron por él.

Cuando aterrizaron en la arena, buscaron inmediatamente algún rastro de Rick, pero no vieron nada.

Las luciérnagas habían empezado a dar vueltas en la gran sala protegida por la piedra y brillaban reflejadas por el pequeño mar interior.

La Nave del Tiempo estaba, como siempre, amarrada en el embarcadero de madera, con su perfil vikingo apuntando hacia el otro extremo de la gruta.

–Pero ¿se puede saber dónde está Rick? –gimió Julia.

Jason echó a correr por el muelle.

–¡No lo sé! –gritó–. Pero ¡ayúdame a preparar la nave!

–De cuatro irán a la muerte dos y abajo conduce, de cuatro, una... –repitió Rick, bajando a tientas por otro corredor–. *De cuatro irán a la muerte dos. De cuatro irán a la muerte dos.*

Se detuvo, intentando recuperar el aliento. Y siguió dando vueltas a la canción en la cabeza. Solo cuando logró calmarse, escuchó.

No se oían las voces de Oblivia y Manfred ni los pasos de Jason y Julia. No se oía nada. Ningún ruido por ningún lado.

Estaba solo. En la oscuridad.

En el corredor equivocado.

Pero había sido una decisión suya. En la confusión que había seguido al apagón de la luz, Rick había enfilado aposta por uno de los dos pasadizos que, según la canción, llevaban a la muerte, con la esperanza de que Manfred y Oblivia lo siguieran a él en lugar de seguir a Jason y Julia hasta la *Metis*. Quería darles ventaja pensando que podría volver sobre sus pasos después de haber recorrido solo un tramo del nuevo corredor.

Pero ahora que había descendido a oscuras quién sabe cuántos metros, dando quién sabe cuántas vueltas y más vueltas, empezaba a darse cuenta de que no era capaz de volver atrás.

Y de que no sabía siquiera en qué dirección estaba exactamente «la parte de atrás».

Había solo oscuridad en torno a él. Oscuridad y silencio.

¿Qué podía hacer?

Su innato optimismo lo convenció para ponerse a gatas e intentar orientarse a tientas.

Llegó hasta la pared de una gruta y la tanteó.

Con una mano pegada a la roca, fue guiándose hasta que esta desapareció, devorada por la oscuridad, quedándose de nuevo sin puntos de referencia.

–¿Hacia dónde tengo que ir? –se preguntó.

Su voz retornó a él convertida en un eco metálico, señal de que, a tientas, Rick había llegado a una cavidad más grande que el corredor por el que había bajado. Pero ¿cómo de grande? ¿Y en qué dirección?

Un grito mudo le subió a la garganta, pero Rick no lo dejó salir. Se lo tragó de nuevo, devolviéndolo con testarudez al estómago, de donde había salido e intentó volver a armarse de valor.

Miró fijamente la oscuridad absoluta que lo rodeaba y preguntó en voz alta:

–¿Hacia dónde tengo que ir, papá?

–Bajemos por aquí –decidió Manfred, encendiendo la enésima cerilla.

–¿Por qué por ahí?

–Me parece que he visto una luz.

–Pero yo he oído unos pasos que bajaban por ese otro lado.

–Se han dividido –explicó Manfred–. Conozco estos túneles.

La cerilla se apagó.

–¿Por qué has dejado que se te escapara?

–Me ha mordido la mano.

–Eres un inútil.

Manfred mascultó una respuesta.

–¿Qué has dicho?

–He dicho que yo no quería entrar aquí dentro. No he querido entrar nunca. Y no tenía que haber entrado.

–¿No podemos volvernos por donde hemos venido sin más?

–Ya lo he intentado.

–¿Y?

–La puerta está cerrada.

–¿Has intentado llamar?

–Sí.

Manfred encendió otra cerilla.

–Casi no quedan. Si queremos bajar, tenemos que hacerlo ya.

–¿Estás seguro de que es este el corredor bueno?

–No.

–¿Y si es el corredor equivocado?

–Qué le vamos a hacer.

Rick permaneció un buen rato inmóvil en la oscuridad con los ojos cerrados.

Cuando volvió a abrirlos, vio algo.

Parpadeó. Después se los restregó con las manos para asegurarse de que había visto bien.

Era un minúsculo punto intermitente.

Un puntito luminoso que oscilaba a pocos metros de él como polen llevado por el viento.

O como una luciérnaga.

Había aparecido en la oscuridad quién sabe cómo y despedía en torno a ella un delicado halo brillante.

–Gracias, papá... –murmuró Rick, sintiendo las lágrimas asomarle a los ojos.

La luciérnaga podía significar solo una cosa. Que la gruta de la *Metis* no podía estar muy lejos. Al contrario: a Rick le pareció oír, por primera vez, el rumor del mar rompiendo contra los escollos.

Con renovadas esperanzas, se levantó y se acercó a la luciérnaga, que parecía estar allí esperándolo recostada sobre una roca gris.

Rick se agachó para cogerla. Después la puso sobre la palma de la mano abierta y la levantó por encima de su cabeza.

El insecto alzó el vuelo y Rick empezó a seguirla. La minúscula luz intermitente apenas bastaba para alumbrarle la punta de la nariz, pero de todas formas era una compañía, una criatura viva. Una guía.

Rick caminó sin pensar en nada, mirando fijamente la luciérnaga y su zumbido volador.

No habría sabido decir cuánto tiempo estuvo caminando. Pero, en un momento determinado, empezó a notar en torno a sí la presencia de muros invisibles y el suelo por el que caminaba se hizo más liso y regular.

Después empezó a subir.

Rick prosiguió su camino. Y aunque ahora sabía que la luciérnaga lo estaba llevando lejos de la *Metis*, no se detuvo, convencido de que aquel minúsculo insecto era lo único que aún lo ligaba a la vida.

Caminó y subió hasta que, en un momento dado, la luciérnaga se posó sobre una roca.

Rick intentó entender lo que estaba haciendo y se dio cuenta demasiado tarde de que el insecto había empezado a meterse por un agujero de la piedra.

–¡No, espera! –gritó–. ¿Dónde vas?

Intentó desesperadamente atraparla, pero se había refugiado ya en el rincón más escondido del agujero.

Y su luz empezaba a debilitarse.

–¡No, no! –gimió Rick, aterrorizado ante la idea de quedar sumido de nuevo en la oscuridad.

Se apoyó en la roca y descubrió que no era una simple roca, sino más bien una pared labrada por el hombre. No... Una escultura. Una enorme escultura, que se erguía sobre él y ocupaba todo el espacio que había a su alrededor.

Una escultura que lo dominaba y lo oprimía con su invisible altura, oscura en la oscuridad.

El chico pelirrojo empezó a tantear la base, buscando algo que sabía que tenía que buscar. Un apoyo, algo que pudiera reconocer a tientas...

Un interruptor de la luz.

Se detuvo.

Volvió a pasar la mano por encima.

Era realmente uno de aquellos viejos interruptores de porcelana, redondos y negros, con una especie de palito que se empujaba hacia arriba o hacia abajo.

Sus dedos temblaban.

Empujó el palito hacia arriba.

Se encendió la luz.

La *Annabelle* alcanzó rápidamente la playa de Whales Call y los tres hombres de a bordo la sacaron a la arena y la pusieron a secar. Apestaban a algas putrefactas y a pescado podrido.

–No tengo palabras para darles las gracias –dijo Leonard a los otros dos cuando por fin pisaron tierra–. Me han salvado la vida.

–No es a nosotros a quienes tiene que dar las gracias –respondió el señor Covenant–, sino a la señorita Calypso. Ha sido ella la que nos ha rogado que nos hiciéramos a la mar y nos ha llevado hasta usted.

Leonard se dio la vuelta y estrechó a la menuda mujer entre los brazos.

–No sé cómo lo has hecho, Calypso, pero ¡gracias!

–Yo tampoco lo sé, la verdad –susurró ella–. Pero estoy contenta de haberlo conseguido.

Al ver a aquel gigante que estrechaba con tanto cariño a aquella mujer de apariencia tan frágil, Homer y el señor Covenant miraron a su alrededor cohibidos, como si fueran dos intrusos.

–Ejem... –tosió el arquitecto–. A mí me gustaría volver a la habitación del hotel para darme una ducha.

–Y a mí hacerle saber a mi mujer que estoy todavía vivo... –se entrometió el señor Covenant.

Leonard aflojó el abrazo.

–¿Va en coche a Villa Argo? –preguntó al nuevo propietario de la casa sobre el acantilado.

–Leonard... –lo amonestó la librera.

–Sí. ¿Quiere que le lleve a algún sitio?

–Pues sí –respondió el gigante–. Necesitaría ir con usted para hablar con Nestor.

–¡Leonard, déjalo! –saltó Calypso.

–¿Se refiere a… nuestro jardinero?

–Sí. Tiene unas excelentes hierbas medicinales en su casa.

El señor Covenant se encogió de hombros.

–Por supuesto. Suba al coche.

Peter Dedalus
Cuaderno:
QUINTO
Título:
LOS INTRUSOS
Proyectista:
PETER DEDALUS
Capítulo:
28
CURIOSITAS
ANIMA MUNDI
MOORE

Las luciérnagas se arremolinaban en torno al muelle como enjambres de minúsculas estrellas. Jason y Julia, de pie sobre el puente de la *Metis*, contemplaban la gruta. Jason apretaba el cabo de la amarra, ya estaba preparado para soltarla. Pero no se decidía a hacerlo. Rick no había llegado aún.

–¿Qué pasará si...? –empezó a decir Julia.

–No lo sé... –respondió el gemelo, intuyendo el resto de la pregunta.

No podía saber lo que les sucedería a las personas que estaban aún en la gruta si ellos llegaban hasta la puerta que estaba al otro lado del mar interior y la abrían.

Vacilaron. El mar interior estaba tranquilo, en inquietante calma. Y los ojos de los dos gemelos vibraban con la misma sensación de desasosiego.

Después percibieron, por fin, un movimiento cerca del tobogán. Vieron un cuerpo aterrizar delicadamente en la arena y ponerse luego en pie.

–¡Rick! –gritó Julia, aferrando el brazo de su hermano.

Las luciérnagas abrían surcos inflamados en el aire, formando remolinos. Minúsculas olas se desmenuzaban en la playa del tiempo.

El cuerpo que había caído por el tobogán empezó a correr hacia el muelle. Después, con un grito prolongado, una segunda persona salió disparada fuera del tobogán y aterrizó pesadamente sobre la playa.

La sonrisa de Julia se congeló de golpe.

–¡Son ellos! –gritó Jason, soltando al instante las amarras–. ¡Vamos! ¡Vamos! ¡Tenemos que irnos!

Libre de anclajes, la *Metis* se alzó, alejándose del muelle. Pero Oblivia Newton ya estaba corriendo sobre los viejos tablones de madera y sus pasos retumbaban como redobles de tambor.

Jason corrió al timón y lo aferró intentando que la nave girara sobre sí misma.

Paso, paso, paso.

Carrerilla.

Y salto.

La *Metis* se inclinó, obedeciendo al viraje de su pequeño capitán. Se oyó un golpe sordo en un costado: Oblivia.

Por un instante la mujer pareció resbalarse, pero con las largas uñas esmaltadas de morado consiguió agarrarse al borde de la embarcación.

–¡Baja! –le gritó Julia, golpeándole la mano con un remo.

–¡Ayyy! –gritó Oblivia Newton, agarrándose también con la otra mano–. ¡Maldita mocosa!

–¡Baja! ¡Baja! –insistió Julia, golpeándola con el remo.

Jason agarró con fuerza el timón y lo viró hacia la puerta negra.

Tenía que reducir el tiempo del viaje y desencadenar la tempestad, esperando que los remolinos de viento hicieran que Oblivia cayera al mar.

Mientras tanto su perro guardián había llegado hasta el muelle y clavaba su mirada aterrorizada en la nave, que oscilaba en medio de ese mar tan tranquilo. No se decidía a saltar.

La *Metis* cabeceó, después puso rumbo hacia la dirección correcta.

–¡Hacia el Jardín del Preste Juan! –gritó entonces Jason.

En la gruta se formó un torbellino de viento y las luciérnagas se refugiaron en las irregularidades del terreno.

–¡Hacia el jardín de la eterna juventud! –gritó de nuevo el chico, haciendo que la nave se empinara.

La sacudida tiró a Julia por los suelos patas arriba y, en lugar de arrojar lejos a Oblivia, le dio el impulso que necesitaba para subir.

El mar rugió ferozmente, mientras la *Metis* se deslizaba junto al muelle.

–¡Manfred! –gritó Oblivia–. ¡Salta! ¡Adelante, maldito inútil! ¡Salta!

«Mar, agua, viento, tormenta.»

Esas fueron las cuatro palabras que cruzaron como un relámpago por la mente de Manfred.

La *Metis* pasó por delante de él, a menos de un metro, salpicándolo. Vio a Oblivia, que gritaba en el muelle algo que él no conseguía entender. Vio cómo la niñita insoportable se caía por la borda y el niñito insoportable aferraba el timón.

Efectuó una sencilla suma. Vieja nave. Niño insoportable. Acantilado. Naufragio.

Después su mirada se cruzó de nuevo con la mirada furibunda de Oblivia Newton.

«O ahora, o nunca», se dijo finalmente, decidiéndose a saltar.

Cegado por la luz, Rick tuvo que cerrar los ojos primero, pero después pudo mirar a través de los dedos de la mano abiertos. Lo que vio fue tan sorprendente que le hizo ponerse de rodillas en el suelo.

Se encontraba a los pies de un dragón de piedra de al menos cinco metros. Era un dragón sin alas, orgulloso y amenazador, con las fauces abiertas de par en par y largas púas que parecían moverse en el aire inmóvil de la gruta. Estaba alzado sobre la cola, las patas tendidas hacia delante como una advertencia. No estaba en posición de ataque. Era un dragón guardián. El custodio de algún tesoro.

En cuanto sus ojos se acostumbraron a la luz y su corazón se calmó al saber que ese largo gusano de piedra era solo una estatua, Rick se dio cuenta de que el dragón no estaba solo. A sus espaldas se extendía un puente arqueado, largo y estrecho, que cruzaba por encima de un tajo en la roca que parecía no tener fondo. Y a lo largo del puente, a intervalos regulares y en ambos lados, había otras estatuas fantásticas. Las iluminaban los mismos faroles crepusculares que habían acompañado esa tarde su camino en la gruta. Despedían una luminosidad tenue y vibrante, llena de compromisos con la oscuridad.

Rick, todavía algo deslumbrado, se levantó para ver mejor. En el lado opuesto al del dragón, al otro lado del puente, había una ballena con la enorme aleta caudal levantada. Y después un mono, con la larga cola enroscada. Un bisbita de pico largo y puntiagudo.

–Y después una rana… –empezó a sonreír Rick, reconociendo las demás figuras–. El gato, el aligátor… el caballo.

La bola de púas de un erizo. Un león tumbado como una esfinge. Los largos colmillos curvos de un mamut, que se asomaban al vacío como sendos signos de interrogación.

Eran los animales de las once llaves.

Rick dio unos pasos y se apoyó en el muro bajo que flanqueaba los dos lados del puente. Miró hacia abajo. Una garganta de roca abierta y oscura.

Caminó al amparo del dragón. Y siguió caminando, lentamente, subiendo la joroba arqueada del puente. Saludó a los demás animales uno a uno, y tuvo la impresión de que las estatuas le devolvían el saludo. Advertía presencias invisibles junto a él. Ojos de tinieblas que lo observaban con atención.

Pero no tenía miedo. No era un lugar aterrador. El corazón le latía en el pecho como un tambor, uno de esos tambores que marcaban el ritmo de los bogadores, de la determinación. Del coraje.

Inclinó la cabeza en señal de respeto ante cada uno de los once animales y notó que los espectadores invisibles que juzgaban su paso estaban satisfechos.

Rick estaba tranquilo porque sabía que, entre ellos, estaba también su padre.

Una luciérnaga apagada en los hombros del dragón.

Cuando llegó al otro lado del puente, Rick se encontró ante una enorme cancela, que le resultaba familiar. Estaba enmarcada por un arco de piedra sobre el que destacaba la sentencia *Curiositas anima mundi*, el lema de la familia Moore.

Comprendió perfectamente dónde había llegado. Al otro lado de la verja, de hecho, se podía vislumbrar un corredor blanco y lechoso.

–El panteón... –dijo Rick–. Donde están enterrados todos ellos.

Ante el umbral del panteón de la familia Moore, el chico de Kilmore Cove intuyó también, finalmente, el verdadero significado de la canción del acantilado. *De cuatro irán a la muerte dos* no significaba lo que ellos siempre habían pensado, sino que dos de los corredores de la habitación circular llevaban hasta las tumbas en las que estaban sepultados los antepasados de la familia.

Rick reconstruyó mentalmente toda la red de grutas del acantilado: un mundo subterráneo que permitía llegar desde Salton Cliff hasta Turtle Park y hasta quién sabe cuántos lugares más, sin salir jamás a la luz del sol.

–Ahora entiendo, papá, por qué nadie ha visto nunca al anterior propietario… –murmuró Rick Banner–. Él se movía por debajo. Se movía en una gruta fuera del tiempo, donde sus antepasados habían elegido descansar eternamente.

Rick aferró el frío metal de la cancela y empujó.

Los largos barrotes negros chirriaron y, ligeros como cañas de bambú, se alejaron, abriéndose.

El chico lanzó una última ojeada tras de sí. Sabía que no tenía alternativa. Dejó atrás el puente de los once animales y enfiló el corredor blanco. Cuando entró, los faroles se apagaron y toda la gruta volvió a su descanso.

El corredor, débilmente iluminado, no medía más de tres metros de alto. El aire que circulaba por él era un aire caliente y enrarecido, con un fuerte aroma a especias y flores secas.

Rick prosiguió con cautela, prestando atención para no pisar nada, aunque era como si hubieran limpiado el suelo hacía poco.

Llegó a la primera sepultura casi sin darse cuenta. Estaba situada a la derecha del corredor, sola, empotrada en el muro y cerrada por una lápida de mármol con un nombre casi ilegible: Xavier Moore.

El patriarca.

Dos nichos, ennegrecidos por el humo, la separaban de la tumba contigua, incrustada en el muro de la misma manera.

Rick tragó saliva y prosiguió caminando pegado a la pared opuesta. Las tumbas no eran nunca más de dos, una encima de la otra, intercaladas con los nichos. En algunas de estas había aún pequeños objetos relucientes o, más a menudo, flores secas ajadas. Las lápidas recreaban el árbol genealógico de la familia. Los esposos estaban sepultados uno encima del otro. Los parientes que no se habían casado reposaban solos. Las fechas decrecían lentamente, acercándose al presente.

Rick pasó por delante de una tumba vacía y llegó a la primera pareja de antepasados que conocía.

> Raymond y Fiona Moore
> llegaron por mar
> y aquí edificaron casa, jardín
> y esta puerta de piedra.

Al acariciar el mármol, Rick sintió en los dedos una extraña vibración de energía. ¡Aquí era donde descansaba el hombre que había empezado a construir todo aquello! El primero que había estudiado las puertas y las llaves de Kilmore Cove. El hombre que había construido Villa Argo y transformado la colina salvaje de Turtle Park en un jardín.

–Gracias… –dijo Rick.

Separó las manos del mármol y se dio cuenta de que alguien había llevado flores frescas a Raymond. Las tocó con un temor casi reverencial y miró hacia delante, por donde discurría el corredor.

¿Quién había bajado al panteón? ¿Y cuándo?

Con el corazón latiéndole cada vez más atropelladamente, Rick prosiguió su camino. Pasó por delante de la tumba de William Moore, el sobrino de Raymond que había ultimado la empresa, y llegó a una habitación más grande, circular, de la que salía un segundo corredor y una escalera que conducía hacia lo alto.

Rick comprendió entonces que se encontraba bajo el panteón de Turtle Park y que por aquella escalera se salía a la superficie. El otro corredor, idéntico al que acababa de recorrer, tenía que ser el que desembocaba en la parada del tren de la eterna juventud.

Entró en él y descubrió que allí era donde se encontraban las sepulturas más recientes. Pasó por delante de ellas casi corriendo. Cuanto más se acercaba al final, más se sentía en el aire el aroma de las flores. Se detuvo ante las tumbas de los antiguos dueños de Villa Argo.

La de Penelope rebosaba de flores frescas, pero estaba vacía, abierta y sin lápida. Entre las flores podía verse la tela de un cuadro que Rick no tuvo el valor de tocar. Reconocía solo los colores, los mismos colores tenues de las acuarelas que había visto en la buhardilla de Villa Argo.

La tumba de Penelope rebosaba de flores.

Y la de Ulysses estaba también vacía.

–Lo sabía… –murmuró Rick, sin aliento.

Se tuvo que apoyar en la pared de enfrente. Puso la palma de las manos en el muro para sentir el frío contacto de la piedra.

«Vacías. Dos tumbas vacías.»

Volvió a pensar en las palabras del padre Phoenix, en las de Fred Duermevela. Volvió a pensar en mil palabras más.

Pero la realidad era que esas dos tumbas estaban vacías.

Caminando pegado al muro, volvió sobre sus pasos sin lograr apartar los ojos del torrente de flores que inundaba la tumba de Penelope.

Fue entonces cuando se dio cuenta de que en los nichos de las dos tumbas laterales una mano desconocida había depositado dos sencillas margaritas.

Rick leyó las inscripciones de las lápidas:

Annabelle Moore
1929-1947
cuya vida se apagó al dar a luz.
John Joyce, más tarde Moore
1921-1996
que vivió en Venecia y de Venecia,
por otro camino, volvió.

–John Joyce Moore… –murmuró Rick, mientras otra pieza del gran rompecabezas de pensamientos que tenía en la cabeza fue a colocarse en su sitio con un ruido seco.

Acababa de descubrir quién había decidido quedarse en Venecia en lugar de Penelope. El padre de Ulysses Moore.

Rick no pudo resistir más. Echó a correr. Se precipitó fuera del corredor y subió los peldaños de las escaleras de dos en dos.

Apareció bajo las columnas blancas del panteón de Turtle Park, a través de cuyo techo horadado resplandecían las estrellas.

–Tengo que salir de aquí –dijo. Y buscó desesperadamente un modo de abrir desde dentro la puerta del templo.

El templo situado en la cima de la colina era uno de los lugares en los que había una Puerta del Tiempo, recordó, mientras forcejeaba con los mecanismos de la cerradura con una fuerza que no recordaba haber tenido nunca antes.

Frenéticamente, con rabia, la abrió y salió al parque. Respiró a pleno pulmón, calmándose de golpe.

Vio la procesión del firmamento sobre él. Vio el mar que destellaba con los recuerdos del día. Vio Kilmore Cove que resplandecía con mil luciérnagas eléctricas. Vio los faros de un coche que trazaba las curvas del acantilado carretera arriba, hacia Villa Argo.

–Yo soy Rick Banner –se dijo–. Banner. No soy un Moore. Y no quiero serlo. –Se dio la vuelta hacia la circunferencia blanca del panteón–. Los Banner somos personas sencillas. Personas honestas y sinceras. No guardamos secretos. No contamos mentiras... –Dirigió el dedo contra el panteón y después contra Villa Argo–. ¡Yo quiero saber dónde estás Ulysses! ¿Dónde te escondes? ¡Dímelo! ¡Tienes que decirme quién eres! Necesito saberlo, ¿no lo entiendes? ¡Esto no puede seguir así! Las canciones, los corredores, el panteón, los cuadernos, las llaves... ¡basta! Tengo que saberlo todo. ¡Todo! ¡Ahora! ¡Jason y Julia están ahí dentro! ¡Y también Oblivia y Manfred! ¡Ulysses! ¿Quieres salir al descubierto de una vez por todas?

El panteón lo contemplaba silencioso.

–¡Eres solo un cobarde! ¡Solo un cobarde! ¡Pero yo soy mucho más valiente que tú! ¡Yo soy un Banner!

Y se dio la vuelta.

El viento soplaba entre las ramas del parque. Una sombra se movió entre los matorrales.

Y Rick echó a correr hacia Villa Argo.

Peter Dedalus
Cuaderno:
QUINTO
Título:
LOS GUARDIANES
DEL TIEMPO
Proyectista:
PETER DEDALUS
Capítulo:
29
E
D
E
G

En Venecia, mientras tanto, Peter Dedalus amarró su góndola a pedales cerca del canal. Subió por la orilla izquierda y, agarrando la aldaba de bronce, llamó a la puerta coronada por un emblema floral con forma de «C».

Tras una breve espera, le respondió una voz alegre y juvenil, que le preguntó quién era.

–Me llamo Peter Dedalus… –se presentó él, mientras un perrito armaba un barullo tremendo dentro de la casa.

–¡Tranquilo, Diogo! ¡No oigo nada! –exclamó la voz de Rossella Caller.

Peter repitió su nombre.

La puerta se abrió y el perrito saltó entre los pies del relojero como un rayo y se puso a dar brincos a su alrededor.

–¿Aquel Peter? –preguntó la señora Caller asombrada–. ¿El de la Isla de las Máscaras?

–El mismo –respondió él, haciendo una reverencia teatral–. Siento presentarme en su casa así y con las manos vacías.

–¿Quién es, Rossella? –preguntó en ese momento Alberto Caller, asomándose a la puerta.

Peter repitió el saludo y la reverencia.

–Quizá esté usted buscando a los chicos… –dijo Rossella, atrayendo hacia sí la mirada severa de su marido.

–No sé por qué ha venido usted a mi casa –empezó a decir el señor Caller–. Ni si se ha presentado aquí para hablar conmigo o con mi mujer, o quizá con amigos de nuestra familia.

Peter se frotó las manos.

–Mire. Es inútil dar tantos rodeos. –Miró a Alberto de frente, a los ojos–. Usted tendría que tener aún en esta casa una vieja máquina tipográfica.

Alberto Caller se puso rígido. En Venecia todo lo que se imprimía estaba sometido a estrictos controles, y tener una máquina tipográfica en casa era la mejor manera de llamar la atención de la policía secreta, responsable de impedir la difusión de folletos clandestinos.

–Creo que se equivoca usted, señor –objetó.

Peter Dedalus sacudió la cabeza.

–Mire, no soy de la policía. Necesito usar esa máquina.

–Le repito que... se equivoca.

–Sé que está aquí –dijo Peter–. La he construido yo. Y sería muy amable de su parte que me dejara usarla.

Fred Duermevela estaba agotado. Por el día que había tenido, pero sobre todo por el trabajo. Cuando había pasado por el ayuntamiento para asegurarse de que no hubiera ningún trámite urgente pendiente, se había encontrado con una pila de documentos de más de cinco dedos de grosor y con el mensaje: «¿Dónde rayos te has metido? ¡Esto me hace falta para mañana!»

Fred soltó un bufido, porque sabía perfectamente que era la única persona de todo Kilmore Cove capaz de utilizar la Vieja Lechuza, la máquina que imprimía los documentos y permisos del pueblo. Echó un vistazo a las diligencias pendientes y se puso manos a la obra, firmemente decidido a acabar lo antes posible. Abrió el cajón que contenía las fichas perforadas y, una vez elegidas las que consideraba más adecuadas, fue al archivo y las introdujo en la ranura correspondiente de la Vieja Lechuza.

Las bandas transportadoras y los innumerables engranajes de la máquina se pusieron en marcha, pescando de los archivos mecánicos los datos y la información que Fred pedía e imprimiendo, al final, unos informes detallados.

Por suerte, la máquina proyectada por Peter Dedalus funcionaba a las mil maravillas y despachaba las solicitudes a toda velocidad.

Fred consiguió también encontrar tiempo para silbar y acabó el trabajo retrasado en menos de una hora.

Volvió a colocar en el cajón las fichas perforadas y clasificó los documentos según el tipo de gestión. Y se dispuso a salir. Tenía unas ganas tremendas de marcharse a casa, pero también de pasar por la taberna y charlar un rato con los amigos y contarles lo de la locomotora que había vuelto al pueblo.

La puerta del despacho estaba casi por cerrarse tras de sí, cuando se dio cuenta de que la Vieja Lechuza no había acabado su trabajo. La oyó poner en marcha algunos engranajes, y luego el tecleo de la imprenta que componía el enésimo documento.

El semblante de Fred se ensombreció. ¿Se le habría olvidado algo? Había controlado las diligencias por lo menos dos veces y había imprimido rigurosamente todos los folios correspondientes.

Abrió de nuevo la puerta y volvió sobre sus pasos sin encender las luces. Fue hasta la enorme máquina metálica y descubrió que, en efecto, había impreso un último folio.

Pero no era un documento normal. Era una carta acompañada de un segundo folio doblado sobre sí mismo, de manera que el anverso no se podía leer.

Fred cogió la carta y la leyó.

Hola, Fred:

Necesit0 que me hagas un favor.

Soy Peter ?edalus, el relojero.

Te escribo utilizan?0 una función de transmisión remota que po?ría causar algún error en el text0. No hagas caso: es una función que no he utilizad0 nunca antes.

Necesitaría que llevara1 el folio que acompaña a esta carta a Villa Arg0.

Pregunta por Nest0r el jar?inero.

¿Me hará1 este fav0r, ver?ad?

Es extremadamente urgente.

Te que?aré eternamente agra?eci?o.

Peter

Cuaderno:

QUI

Título:

EL CLAUSTRO

Proyectista:	Capítulo:
PETER DEDALUS	30

Cuando la tormenta se aplacó, Jason soltó el timón, extenuado. Julia yacía en el puente de la *Metis*. Corrió en su busca mirando a su alrededor sin ver a nadie más.

–¿Julia? ¿Estás bien?

Su hermana abrió los ojos.

–Dime que estamos solos.

En ese momento se oyó nítidamente el ruido de un cuerpo que caía al agua y Manfred que imprecaba:

–¡Maldición! Casi lo había conseguido...

Jason se mordió los labios.

–Me temo que no.

Los gemelos fueron hasta el costado de la *Metis* y vieron a Manfred saltar furiosamente fuera del agua. Había realizado toda la travesía aferrado al borde de la nave y, justo al final, se había resbalado y se había caído al agua, empapándose de pies a cabeza. Oblivia había subido ya los escalones que conducían a la puerta negra, la puerta coronada por las tres tortugas.

–¡Adiós, mocosos! –dijo Oblivia con tono burlón.

Julia hizo ademán de saltar de la *Metis*, pero Jason la sujetó.

–Ya no hay nada que hacer.

Vieron a Manfred goteando por las escaleras, que seguía de mala gana a su jefa.

–Salvo quizá lograr que las dos primeras personas que encontremos al otro lado vengan aquí... –susurró Julia–. Y dejar así a Oblivia y Manfred fuera de las Puertas del Tiempo para siempre.

–Pero ellos pueden hacer también lo mismo con nosotros.

Oblivia fue hasta la puerta y la abrió.

–¡Oh, esto es magnífico! –exclamó, mirando dentro–. ¡Que disfrutéis con la Primera Llave, chicos!

–¡Quien ríe el último, ríe mejor!

–¿Queréis que os recuerde lo que pasó en la Tierra de Punt?

Jason apretó los puños de rabia.

–Esperemos que salgan... –decidió su hermana.

Oblivia desapareció tras la puerta negra. Manfred, por su parte, se volvió por última vez hacia ellos, los fulminó con una mirada amenazadora, se colocó la mochila sobre los hombros y, por último, se puso las gafas de sol de espejo.

Y después desapareció.

De nuevo solos, los gemelos se preguntaron qué hacer.

–Estoy agotada, Jason –confesó Julia–. Llevamos todo el día corriendo. Y sé qué puede haber detrás de esa puerta.

Por suerte para ellos, Jason llevaba aún consigo el cuaderno con los apuntes de Ulysses Moore.

–Es como una mezcla entre un paraíso terrenal y un castillo medieval... –observó, hojeándolo.

–¿Y entonces?

–Entonces creo que deberíamos echar al menos una ojeada.

–¿Y Rick?

–No sé, Julia. Pero tengo la sensación de que, esta vez, seremos solo nosotros dos.

Julia suspiró, cansada y asustada.

–Lo conseguiremos, hermanita. Solo tenemos que abrir esa puerta, encontrar a Black Vulcano y volver atrás antes de que lo haga Oblivia.

Nada convencida, Julia siguió a Jason fuera de la *Metis*.

–Tres tortugas... protegednos vosotras –murmuró su hermano, empujando la puerta–. ¿Vienes conmigo, hermanita?

–Voy contigo –respondió Julia.

Al otro lado había una fuente con un surtidor. La puerta, escondida en un rincón apartado, bajo un arco esculpido con motivos florales, se abría a un claustro circundado de minúsculas columnas blancas. En el aire se oía solo el gorjeo del agua y una lejana sucesión de gritos.

Jason se volvió hacia la salida del claustro y vio unas personas que estaban de espaldas a ellos. Le indicó a Julia con un gesto que se escondiera y los dos se arrimaron a las columnas.

A unos cincuenta pasos de ellos había unos veinte soldados armados. Llevaban brillantes armaduras de hierro y lanzas aguzadas.

–¡Debe de ser un error, les digo! –chillaba Oblivia Newton, en medio de ellos. Manfred estaba tirado boca abajo en el suelo con las gafas de sol hechas añicos.

–¡Ningún error, señor! –exclamó uno de los soldados, dirigiéndose a quien probablemente era su superior–. Acabamos de sorprender a estos dos forasteros en el claustro.

–¡Puedo explicárselo! –exclamó Oblivia.

–¡A las mazmorras! –bramó el jefe de los soldados.

Jason cruzó una mirada de satisfacción con Julia.

–¡Los han pillado! –susurró.

–Menos mal que han entrado antes ellos...

Los gemelos dieron la vuelta al claustro, manteniéndose lejos de los soldados, quienes, haciendo caso omiso de las protestas de Oblivia y Manfred, estaban escoltándolos fuera.

Atravesaron una zona densa de sombras para intentar encontrar otra vía de escape. Después vieron una escalera. Jason la examinó; se perdía en la oscuridad. Le preguntó a su hermana:

–¿Hacia dónde vamos?

Peter Dedalus
QUINTO
LA VERDAD
Capítulo:
DEDALUS
31

El señor Covenant había aparcado el coche en el patio de Villa Argo hacía poco tiempo. Rick abrió la cancela y se dirigió con decisión hacia la casa de Nestor, que tenía todas las luces encendidas.

Subió las escaleras y llamó furiosamente a la puerta.

Le abrió Leonard Minaxo, el guardián del faro. Iba envuelto en un albornoz oscuro y tenía el pelo mojado, pegado a la frente.

–¿Se puede saber qué haces tú aquí? –le preguntó a Rick.

–Yo podría hacerte la misma pregunta. ¿Está Nestor?

El jardinero de Villa Argo salió cojeando de detrás de Leonard.

–Ah, Rick. Eres tú. Entra, entra. Leonard y yo estábamos... charlando.

Hizo un ademán a Leonard para que se apartara de la puerta y le dijo al joven Banner que se acomodara.

–¿Y Jason y Julia?

–Han entrado –respondió Rick con dureza.

Había algo extraño en la voz de Nestor.

–¿Qué quieres decir? –Nestor se puso blanco–. ¿A estas horas? ¡Sus padres se darán cuenta!

–Y no están solos.

–¿Cómo? –El jardinero buscó a tientas una silla para sentarse, mientras Leonard avanzó lentamente hasta ponerse al lado de Rick.

Se apoyó en el fregadero empotrado en la pared y dijo:

–Estás sudado.

–He estado corriendo –replicó Rick tajante; luego volvió a mirar fijamente a Nestor. En sus ojos se leía un odio desesperado. Una necesidad urgente de saber–. Estaban también Oblivia y Manfred.

Nestor abrió la boca, y luego la cerró. Apretó los dedos contra las rodillas hasta que se volvieron blancos.

–Estaban en casa. Nos han sorprendido por la espalda y nos han obligado a pasar por la Puerta del Tiempo.

El viejo jardinero movía la cabeza sin conseguir pronunciar una palabra.

Leonard dio un puñetazo en el fregadero.

–¡Lo que nos faltaba! Pero ¿cómo han podido entrar en casa?

–Eso es lo que nos hemos preguntado también nosotros.

–¿No has estado siempre aquí, en el jardín? –continuó Leonard–. ¿Y no estaba también la señora Covenant en casa?

–¡La peluquera! –exclamó de repente Nestor, dirigiéndose a los dos–. Han entrado con la peluquera. ¡Maldición, qué estúpido! Ella tenía un ayudante.

–Manfred –adivinó Rick.

–Oblivia debía de estar escondida en el coche. Y a mí no… no se me ha ocurrido ir a vigilar. –Después se dirigió a Rick–. Pero ¿cómo es que estás tú aquí?

–Me he escapado. He tomado uno de los corredores que van a la muerte.

–¿Y Jason y Julia?

–No lo sé. Creo que han llegado a la *Metis*.

–Y…

–No lo sé.

Nestor se puso de pie, fue a la ventana y miró las luces encendidas de Villa Argo.

–Tenemos que avisar a los Covenant.

Rick esperó a que uno de los dos hombres hablara; después, dado que ninguno de los dos se decidía a hacerlo, dijo:

–Vosotros sabéis perfectamente lo que hay bajo el acantilado, ¿verdad? Sabéis lo de las grutas, el tren de la eterna juventud, los túneles subterráneos... Sabéis lo del jardín.

Ninguna respuesta.

–Y sabéis por dónde he tenido que pasar para salir de allí, ¿no es verdad? Lo sabéis, ¿no?

–¿Has atravesado el puente? –le preguntó Leonard Minaxo.

–Sí –respondió Rick–. Y he visto las flores.

Los dos hombres intercambiaron una larga mirada de preocupación.

–¿Quién ha ido a poner las flores?

Silencio.

–¿Quién de vosotros dos es Ulysses Moore?

–Rick... –murmuró Leonard. Pero no añadió nada más.

–No, ahora basta. ¡Ahora quiero saberlo todo! ¡He averiguado que su padre se quedó a vivir en Venecia para que Penelope pudiera casarse! ¡He averiguado que la sepultura de Penelope está vacía! ¡Como la de Ulysses! ¿Por qué? ¿Me lo queréis decir de una vez?

Nestor se alejó unos pasos, se agachó y sacó de debajo del sofá un viejo lienzo enrollado.

–Julia está allí abajo, con Oblivia... –empezó a sollozar Rick–. Y también Jason. Y yo ya no sé qué hacer. ¡Ya no sé qué hacer!

–Si han subido a bordo de la nave, no hay manera de entrar –dijo Leonard, dirigiéndose a Nestor–. ¿Verdad?

Rick alzó los ojos llenos de lágrimas hacia el jardinero.

–¿Quién de vosotros dos es Ulysses Moore? –preguntó por segunda vez.

Nestor pasó delante de él cojeando, se apoyó en la mesa y desenrolló sin decir una palabra el lienzo.

Rick observó el rostro del retrato. Habían rasgado la tela del cuadro y la habían vuelto a coser en un segundo momento. Se enjugó las lágrimas con el dorso de la mano.

–¿Este es el cuadro que falta en la escalera?

–Sí –respondió Leonard Minaxo.

Rick pasó un dedo por el nombre que estaba escrito al pie del retrato.

ULYSSES MOORE.

–¿Eres tú, entonces? –susurró.

En ese instante, alguien llamó furiosamente a la puerta de la casa. Nestor enrolló el retrato y miró a Leonard, que corrió hacia la puerta.

Era Fred Duermevela.

–¡Eh, Fred! –exclamó el gigante del faro–. ¿Qué vientos te traen por aquí?

–¡Tengo un mensaje para Nestor! –masculló él–. ¡Un mensaje para Nestor!

–¿Un mensaje? –preguntó Leonard–. ¿Y de parte de quién?

–De Peter Dedalus –exclamó Fred Duermevela, agitando el folio con la tinta aún fresca.

- CONTINUARÁ -

Nota al lector

Queridos lectores:

El misterio de la desaparición de nuestro colaborador se complica más y más. Poco antes de mandar a la imprenta el texto, nos ha llegado esta carta. El sello y el matasellos son de Kilmore Cove. La fecha es de hace diecisiete días.

Querido Ulysses:

He logra?o convencer a Oblivia Newton de que Black VulcanO ha encontrado la Primera Llave y la ha llevadO al Jar?ín ?el Preste Juan.

Sé perfectamente que nO es verdad, pero he pensado que de esta manera podría ?ejarla ?efinitivamente fuera de juegO.

He pensadO seriamente en volver a KilmOre Cove en su lugar, pero, cOmo bien sabes, aquí en Venecia hay demasiadas cOsas que es mejor que ella nO descubra.

NO sé si la puerta ?e Villa Argo está abierta, ni si tú tienes tOdavía las llaves. Si la puerta funciona, deja que Oblivia se vaya.

He avisadO a Black ?e su llegada. Él sabrá cómO detenerla.

Un salu?o,
Peter ?edalus

INTERESANTE,
¿VERDAD?

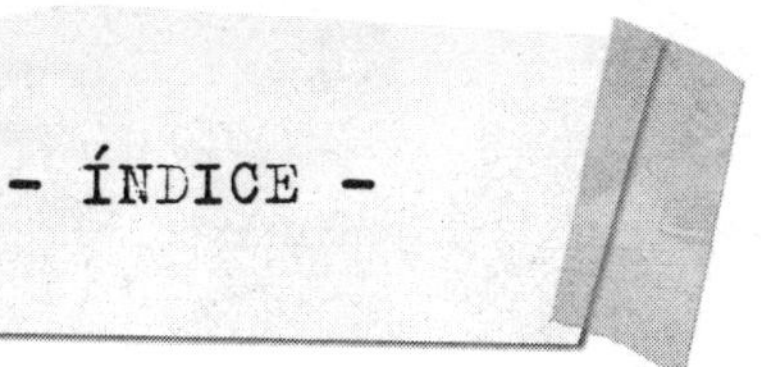

1. La llamada 11
2. Un auténtico lío 15
3. En Villa Argo 27
4. En el despacho del director 35
5. Fiebre 41
6. En Venecia 47
7. Casa Banner 53
8. Las máquinas camufladas 61
9. Comida en Villa Argo 65
10. Sobremesa en Villa Argo 73
11. Ida y vuelta al polo 83
12. El huésped 91
13. Los escollos 105
14. Cara o cruz 113
15. La estación de ferrocarril 119
16. La trampa 129
17. El funcionario de las tuberías 137
18. Engranajes en marcha 157
19. En busca de Clio 171
20. Bajo la superficie 179
21. La gruta 187
22. Subir y bajar 197
23. El desconocido 205

24. Alguien llama 213
25. La puerta del jardín 219
26. El náufrago 227
27. El corredor de la muerte 235
28. Los intrusos 247
29. Los guardianes del tiempo 259
30. El claustro 265
31. La verdad 269

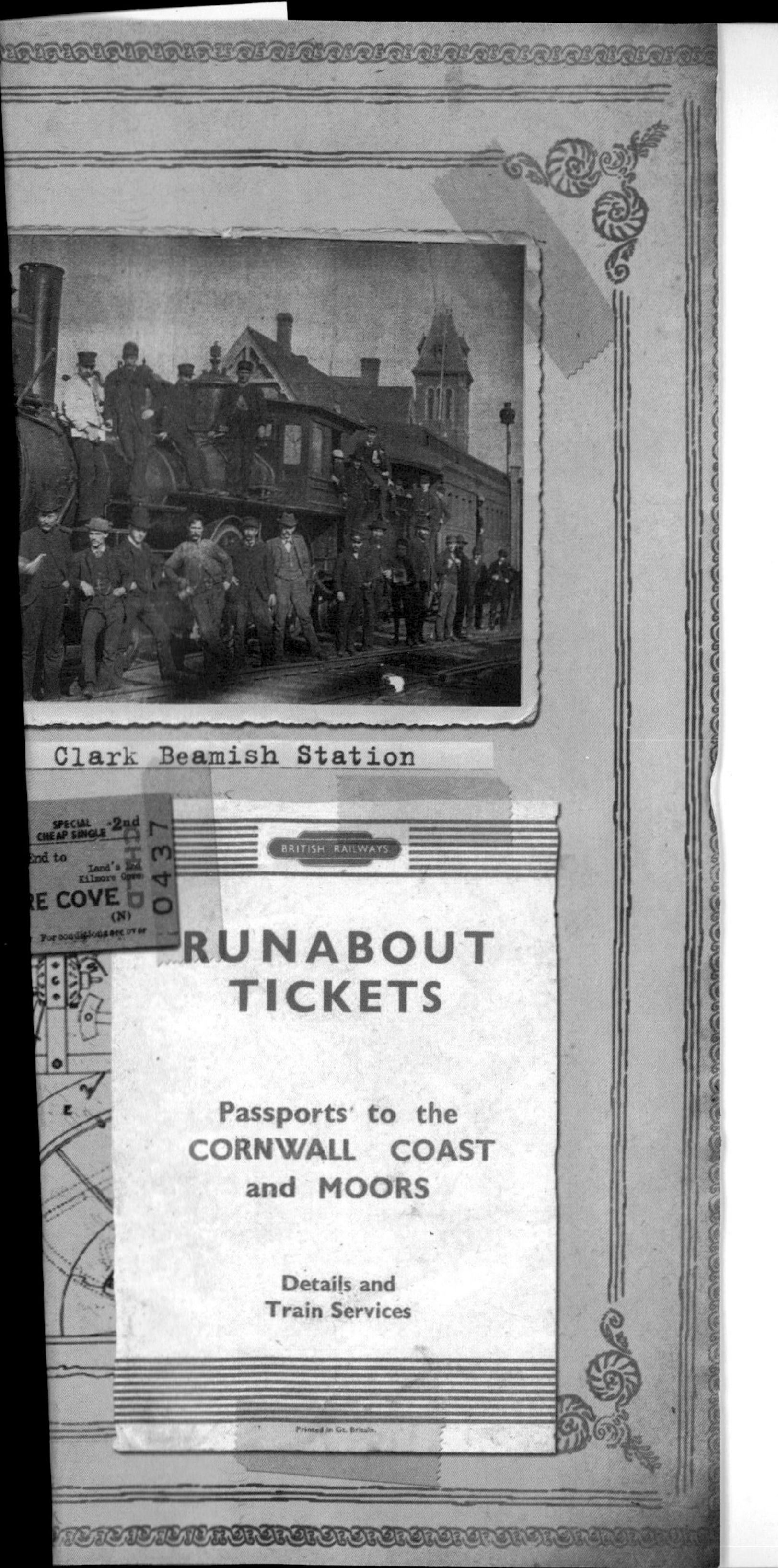
Clark Beamish Station
SPECIAL CHEAP SINGLE
2nd
End to
Land's End
Kilmore Cove
RE COVE
(N)
0437
BRITISH RAILWAYS
RUNABOUT TICKETS
Passports to the CORNWALL COAST and MOORS
Details and Train Services
Printed in Gt. Britain.

2nd.
SPECIAL
0437
Land's End
Kilmore Cove
(N)

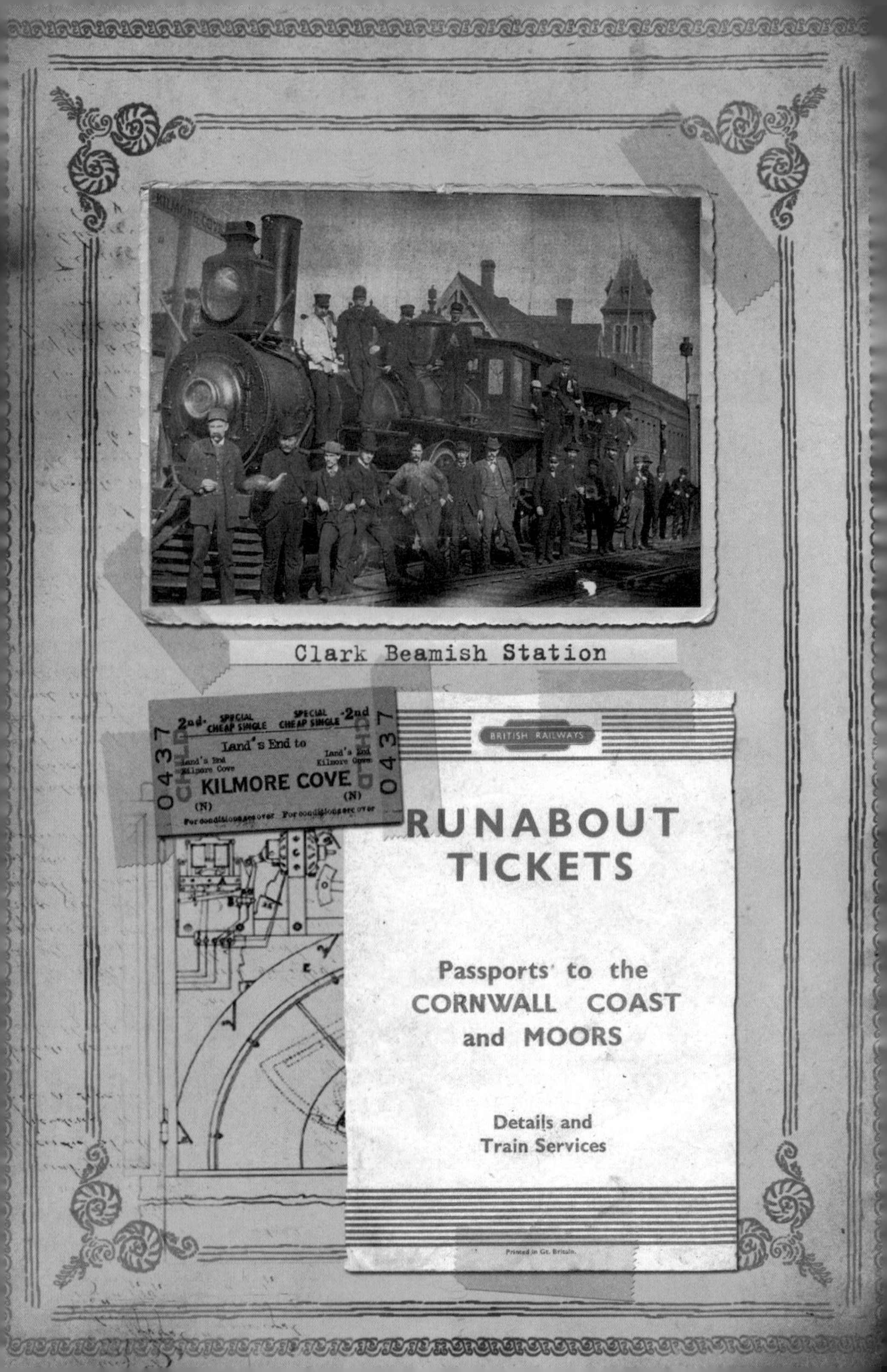
KILMORE COVE
Clark Beamish Station
2nd. SPECIAL CHEAP SINGLE
SPECIAL CHEAP SINGLE 2nd
CHILD
0437
Land's End to
Land's End
Kilmore Cove
KILMORE COVE
(N)
For conditions see over
BRITISH RAILWAYS
RUNABOUT TICKETS
Passports to the CORNWALL COAST and MOORS
Details and Train Services
Printed in Gt. Britain.